A Storyteller's

La Pesadilla

Arturo Muñoz Vásquez
Art by Sonya Fe

Nightmare

de un Cuentero

Arturo Muñoz Vásquez

Ilustrado por

Sonya Fe

What does a storyteller fear the most? The answer lies in these four scary stories that take place in the streets of East Los Angeles, a ghost pueblo in New Mexico, and two remote pueblos in Mexico. Homer Delgado, a U. S. government agent is charged with the investigation of four unexplainable incidents. These secret government files are known as the XX files.

Cual es el peor miedo de un Cuentista? La respuesta esta en estas cuatro espantosas historias que se desarrollan en las calles del Este de Los Angeles, en un pueblo fantasma en Nuevo México y en dos pueblos en el pais de México. Homer Delgado, un agente del gobierno de Estados Unidos, esta a cargo de la investigación de cuartro inexplicable incidents, estos archivos secretos gubernamentales son conocidos como los archivos "Dos XX."

Literacy Activities for grades 6th-9th are provided as an appendix.
About the author and artist is also provided as an appendix.

Library of Congress Cataloging in Publication Data.

ISBN 0-9741971-1-4

Acknowledgments

One can only be thankful to work with people who are so well connected with their craft.
I am grateful to the following friends who, with full time jobs and busy family lives,
found the time to help me make my *Nightmare* a reality:

Roberto Lozano, Spanish translator, rollings@pacific.net
Susan Tellin, graphic designer, susan.tellin@gmail.com
Kathleen McParkland, English editor, kmcpartland@csuchico.edu
Andy Burgdorf, printing agent, andy@printingdyn.com

Reconocimiento

Uno solo puede estar agradecido de poder trabajar con gente que esta bien relacionada con sus artes.
Agradezco a mis siguientes amigos quienes aunque trabajan duramente y ocupados con sus vidas
familiares, encontraron el tiempo para ayudarme a realizar "Mi Pesadilla."

TABLE OF CONTENTS

INDICE

Introduction

Come and join me; sit down by the fire and linger with it all night long. I am sure you know that throughout history, fairy tales, legends, myths, and folklore have served as a way to entertain and socialize children. Indigenous Americans had their own way of worshipping, celebrating, and honoring death and the spirit world. The belief that there is another world beyond the one here on earth is embodied in the bone fragments and broken pottery created to prepare us humans for the psychological impact of death.

Here in the United States, Americans celebrate the spirit world on Halloween, every October 31st. Traditionally, both children and adults dress in costumes of goblins, ghosts, skeletons, and monsters; children customarily go door to door dressed as their favorite hero or villain, then go knocking on doors and greeting people with a "trick or treat." Children are usually given candy, toys, nuts, or gum. When children are not given a 'treat', as is the custom, then they have the right to trick them with 'tricks' that might include breaking jack-o-lanterns, writing on windows and doors with soap bars, or 'tee peeing' houses with toilet paper. Adults also like to play in this festive masquerade, hiding behind a mask, ready to scare children.

In Mexico, the culture is laced with the spirit world. For example, one of the most important holidays is el Dia de los Muertos, *Day of the Dead*, a holiday which honors our ancestors. We customarily offer them bread and candy to invoke them and wake them up from their graves to join us in a promenade around the plaza and back to the cemetery. While the two countries share similar icons— skeletons, ghosts, and the walking dead—they have different reasons and purposes for the celebrations, and they too have changed with time. Halloween is a scary experience with demons that illicit fear, while El Dia de los Muertos is an experience that beckons the dead, teaching us to walk "side-by-side" with death in life's grand charade-parade.

Mexico and many other countries around the world use scary stories as a cultural tool to teach children how to behave, what values to have, and what beliefs to pass on to each generation. These story themes and characters that children learn about include Santa Claus, ghosts, and the monsters in the attic. There are also verbal admonitions

such as: "Don't go outside when its dark or El Cucuy will kill you!" " Don't go near rivers and lakes when you're all alone or la Llorona will mistake you for her child and will drown you!" and "Stay away from the harm's way brought by strangers, drunks, thieves, and crazy people. In this manner, children are taught to be careful and to learn to walk away from reality and into fairy tale.

This, the collection of scary stories *"A Storyteller's Nightmare: A Tour Through the Cuco Ward"* was originally created for a Halloween show at the Celebrating Arts theater in Sacramento, California.

The collection shares the same introduction, each of the stories share the same beginning and special agent, Homer Delgado, the main character is in all the stories. He discovers classified files that were secretly stolen from the Mexican government during the turn of the century. These files are referred to as the *XX Files, Dos Equis Files*, the secret files for which the beer *Dos Equiz XX* was named. The Mexican government had not released them earlier to the general public because reading them had been known to alter the genetic code of some its readers. The people investigated in these files became so frightened that they lost all their X chromosomes. These five stories tell us about the victims who lost their battle with fear, thus, losing all their X chromosomes, and eventually losing their minds too.

The social impact of scary stories is so great that, as early as possible, children should learn the difference between fact and fiction, between the real world and make-believe, rather than letting television set the standard for reality. Scary stories have an important societal role in teaching our children about the spirit world. The truth is around the corner.

Introducción

Ven siéntate conmigo junto al fuego, la noche es larga. Como sabrás, con el correr del tiempo, los cuentos de hadas, las leyendas, los mitos y el folclor han servido para entretener a los niños y para educarlos en cuanto a las costumbres de su pueblo. Los indígenas americanos tenían sus propias formas de venerar, celebrar y honrar a la muerte y el mundo de los espíritus. La creencia en un mundo más allá del presente aquí en la tierra está plasmada en los fragmentos de huesos y los fragmentos de vasijas de barro creadas para prepararnos a los humanos para el impacto psicológico de la muerte.

En los Estados Unidos, los norteamericanos celebran el mundo de los espíritus en Halloween, el 31 de octubre de cada año. Tradicionalmente, tanto los niños como los adultos se disfrazan de duendes, fantasmas, esqueletos y monstruos; los niños van de puerta en puerta vestidos de héroes o villanos, pidiendo regalos a los ocupantes de la morada. Normalmente los niños reciben dulces, juguetes, cacahuates o chicles. Cuando los niños no reciben un regalo, como es la costumbre, ellos tienen derecho a hacer travesuras que incluyen romper las calabazas alumbradas, escribir en las ventanas y puertas con barras de jabón, o envolver las casas con papel sanitario. Los adultos pueden participar en este festival de máscaras escondiéndose tras un disfraz, listos para espantar a los niños.

En México, la cultura está entrelazada con el mundo de los espíritus. Tan es así que una de las celebraciones más importantes es el *Día de los Muertos,* cuando se honra la memoria de los antepasados. La costumbre es ofrecerles pan y dulces para invocarlos y despertarlos de sus tumbas para que vengan a pasear a la plaza con nosotros y de vuelta al camposanto. Aunque los dos países comparten ciertas imágenes semejantes –esqueletos, fantasmas y muertos ambulantes– las razones y propósitos de las celebraciones son diferentes, y con el tiempo has sufrido transformaciones. Halloween es una experiencia aterradora en la que los demonios inspiran miedo, mientras que el Día de los Muertos es una experiencia en la que los muertos son convocados y que nos enseña a caminar junto a la muerte en la farsa festiva de la vida.

México y muchos otros países alrededor del mundo usan cuentos de espantos como herramienta cultural para enseñar a los niños a portarse bien, a aprender los valores y creencias que son transmitidos de generación en generación. Estos temas y personajes de los cuentos incluyen a Santa Clos, fantasmas, los monstruos del desván; sobre todo las advertencias verbales como: 'No salgas de la casa cuando está oscuro porque te lleva El Cucuy; No te acerques a las orillas de ríos y lagunas cuando andas solo porque la Llorona puede confundirte con uno de sus hijos y ahogarte. Aléjate de gente desconocida, de borrachos, ladrones y locos.' De esta manera los niños aprenden a tener cuidado y a transitar de la realidad hacia el mundo de la fantasía.

Esta colección de cuentos de espantos *La Pesadilla de un Cuentero: Viaje a la Castañeda* fue creada originalmente para un espectáculo de Halloween en el Celebrating Arts Theater en Sacramento, California.

La colección comparte la misma introducción, cada uno de los cuentos comparte el mismo principio y el agente especial Homero Delgado es el principal personaje en todos los cuentos. El descubre archivos confidenciales robados secretamente del gobierno mexicano a principios de siglo. Estos archivos son conocidos como los *Archivos XX*, o los *Archivos Dos Equis*, los cuales fueron utilizados para dar el nombre a la cerveza *Dos Equis XX*. El gobierno mexicano no los había abierto al público antes porque su lectura aparentemente alteraba el código genético en algunos de sus lectores. Las personas investigadas en estos archivos se sintieron tan atemorizadas que perdieron todos sus cromosomas X. Los siguientes cinco cuentos hablan de las víctimas que perdieron la batalla con el miedo, perdieron todos sus cromosomas X y perdieron la razón también.

El impacto social de los cuentos de espantos es tan grande que es necesario que los niños, a la edad más temprana posible, entiendan la diferencia entre la realidad y la fantasía, en lugar de dejar que la televisión establezca las normas de lo que es real. Los cuentos de espantos tienen un papel importante en la sociedad pues enseñan a los niños acerca del mundo de los espíritus. La verdad se encuentra a la vuelta de la esquina.

My First Encounter
with El Cucuy

Mi PrimerEncuentro
con El Cucuy

My First Encounter with El Cucuy

I am special agent Homer Delgado from a secret international agency assigned to locate a menace to society known as El Cucuy. I am part of a secret international commission that has been organized to investigate reported encounters and unexplainable events with the spirit world. For ten years, I have been involved in many investigations all over the world. I almost captured it twice, but it managed to find a way escape. I call it "it" because I don't know what else to call it.

He is known by many aliases as he travels from country to country, but in most countries, he is the same scary spook: in some parts of South America he's known as El Cuco; in Mexico he's called El Cucuy; and here in North America you know him as the 'bogeyman'. He is your worst nightmare! I have asked thousands of people about this evil spirit and most people say that although no one has actually seen him, that he nonetheless exists. They say that it is part human and part beast, and that it always attacks at night. So, beware when you are out all alone, and in the dark.

When I was five years old my grandmother told about El Cucuy. My parents had left me with my grandmother in Coahuila, Mexico, while they went to do seasonal farmwork in the Southwest. My *Abuelita* was nice to everyone. I think she was a curandera, a healer, because many people came to her when they were feeling ill. She prepared herbs for making tea, scenting a room, and burning on their skin. She prayed for healing energy from the spirit world, sang with her clients to make them feel better, and she prescribed food, activity, and plenty of sleep.

Abuelita once said,"Mijo, put this herb in your ear and your ear ache will go away." By the end of the day the pain did go away. Now, at fifty, I can't hear from this ear; I was never able to get the herb out. It's still in there!

I remember the day, when she first told me about El Cucuy. A little after dinner, on our first day at Abuelita's, I heard someone crying nearby. I asked her about who was crying and all I remember her saying, was, "Once, El Cucuy visited our neighbors. You don't want to see what it left behind. Stay away from our neighbors' yard," she ordered.

In the early hours of the next day I heard someone crying. During the day, I heard moaning, weeping, and laughing coming from our neighbors' yard. The more *Abuelita* told me to stay away from the neighbors' yard, the more I wanted to see who was making all those noises.

Mi Primer Encuentro con El Cucuy

Soy el agente especial Homero Delgado. Trabajo para una agencia internacional asignada a localizar la amenaza social conocida como El Cucuy. Formo parte de una comisión secreta internacional que ha sido organizada para investigar reportes de encuentros, acontecimientos inexplicables con el mundo de los espíritus. Durante diez años he participado en investigaciones por todo el mundo. Estuve a punto de capturarlo un par de veces, pero halló la manera de escapar.

Se le conoce con muchos áliases en la medida que viaja de país en país, pero en la mayoría de los países es el engendro mismo del mal: en algunas partes de América del Sur se le conoce como El Cuco; en México se le conoce como El Cucuy; y aquí en Norteamérica se le conoce como 'the bogeyman.' ¡El es tu peor pesadilla! Les he preguntado a miles de personas acerca de este espíritu maligno y la mayoría contestan que aunque nadie parece haberlo visto, sin embargo existe. Dicen que es parte humano y parte bestia y que siempre ataca de noche. Por eso, ten cuidado cuando andes afuera solo en la oscuridad.

Cuando tenía yo cinco años, mi abuelita me contó acerca del Cucuy. Mis papás me dejaron con mi abuelita en Coahuila, México, para poder ir a trabajar en las labores del campo en el suroeste en de los Estados Unidos. Mi abuelita era muy buena con todo el mundo. Yo creo que era una curandera, porque muchas personas venían a verla cuando se sentían enfermas. Les preparaba tés de yerbas, hacía barridas de los cuartos y las personas. Rezaba para que se manifestara la energía sandora del mundo de los espíritus, cantaba con sus clientes para hacerles sentir mejor, y les recetaba comida, actividades y mucho reposo.

Abuelita me dijo una vez: –Mijo, ponte esta yerba en el oído y la punzada desaparecerá.– Al final del día la punzada había desaparecido. Ahora que tengo cincuenta años, no puedo oír por este oído; nunca he podido sacar la yerba. ¡Todavía está ahí!

Recuerdo el día cuando me contó por primera vez acerca del Cucuy. Un rato después de haber terminado de cenar, en nuestro primer día en casa de Abuelita, oí que alguien lloraba en la cercanía. Le pregunté quién estaba llorando y lo único que recuerdo fue que me dijo –Hace tiempo vino El Cucuy a visitar a nuestros vecinos. No creo que quieras ver lo que dejó a su partida. –Aléjate lo más posible del patio de nuestros vecinos– me ordenó.

En la madrugada del día siguiente oí que alguien lloraba. Durante el día oí gemidos, llanto, carcajadas que parecían venir del patio del vecino. Entre más me decía Abuelita que me mantuviera retirado del patio del vecino, más quería yo ver quién estaba haciendo esos ruidos.

One day, I asked for the hundredth time, not really expecting an answer, "Abuelita, who's crying?"

She placed her old face in front of mine, covered me with her serape, and she warned me, "El Cucuy has taken away that poor man's soul and has left him dumb and crazy. He cries because he's tied up and because he's lost his soul. The neighbors have him tied up in a large wooden cage so that he won't be able to escape and hurt people. You see, he sees children as toys, with one pull he could easily pull off someone's arm or leg."

Every once in awhile, when she saw me staring at the neighbor's yard, Abuelita would warn me to stay away, "Mijito, the crazy man is dangerous, he doesn't know his own strength. And he is so ugly that the sight of him will scare you so much that the image of his face won't let you sleep."

Every day that summer, I heard him cry. At the end of my second summer at Abuelita's, I couldn't resist going to sneak a peak at the crazy man, the victim who they say was attacked by El Cucuy. I waited until the afternoon. When I heard him stop crying, I tip-toed towards the neighbor's yard. As I got closer, I heard heavy breathing coming from behind the fence. I climbed on the fence and looked over; on the ground of a large wooden cage slept a fat man. My heart pounded fast and loud. I jumped over to the neighbor's yard. I stood there feeling a little less scared because his left foot was chained to a metal stake in the middle of the cage, but the hair on the back of my head stood straight out. Sleeping, the man in the cage looked like a regular person: he had a head, two arms, and two legs, just like you and me.

He must have sensed my presence because he sat up suddenly and looked right at me.

"Ayeeee!" I screamed.

He had mud on the side of his face, he had mocos–green snott, bubbling out from both nostrils as he breathed; his eyes rolled around loosely in their sockets, and his teeth were black with filth, but he was happy to see a visitor. His groans and moans turned friendly. He dragged his body closer, stood up, and leaned towards me as far as he could stretch while he pulled and yanked on the chain.

"Mmmm,mmm!" He waved at me to get closer. He pulled on his rope to get a little closer to me, but he couldn't. He got frustrated and started crying,"Aiiiiiiiiiiieee."

His crying frightened me and I started to step back. He noticed that he was scaring me, so he stopped crying. To communicate with me, the man grunted and moaned. He waved and moaned at me to get closer. I don't remember moving closer. He reached out his hand through the wooden planks and touched me. I remember his face as he touched my hand. I remember it as if it had happened today. He smiled at me with his round fat happy face. I still remember those vacant eyes–those 'no one's home' eyes. El Cucuy had taken his soul.

Un día le pregunté por la centésima vez, sin esperar realmente que me respondiera,

–Abuelita, ¿quién está llorando?

Puso su vieja cara frente a la mía, me cubrió con su sarape y me advirtió–El Cucuy se ha apoderado del alma de ese pobre hombre y lo ha dejado loco y atarantado. Llora porque está amarrando y ha perdido su alma. Los vecinos lo han amarrando en una gran jaula de madera para que no escape y cause daño a la gente. Porque para él los niños no son más que juguetes, con un jalón fácilmente puede arrancar a alguien el brazo o la pierna.

De vez en cuando, cuando me veía con la mirada fija sobre el patio del vecino, Abuelita me advertía que no me acercara. –Mijito, ese loco es peligroso, no sabe lo fuerte que es. Y está tan feo que con solo mirarlo te espantará tanto que la imagen de su cara no te dejará dormir.

Todos los días de ese verano lo oí llorar. Al final de mi segundo verano en casa de Abuelita no pude resistir la tentación de asomarme por una rendija para ver al loco, quien supuestamente había sido atacado por El Cucuy. Esperé a que atardeciera. Cuando oí que dejó de llorar me acerqué de puntitas al patio del vecino. Al aproximarme escuché un resuello que venía de detrás de la cerca. Me trepé a la cerca y me asomé; en el suelo de un gran jaula de madera se hallaba dormido un hombre gordo. Mi corazón latía apresuradamente. Me brinqué la barda hacia el interior del patio del vecino. Me quedé parado sintiendo menos miedo porque su pie izquierdo estaba encadenado a una estaca de metal en medio de la jaula, pero al mismo tiempo sentía cómo se me erizaba la piel. Dormido, el hombre de la jaula parecía una persona normal; tenía una cabeza, dos brazos, dos piernas, igual que tú o yo.

Probablemente se percató de mi presencia porque de repente se sentó y se me quedó mirando.

–¡Ayayay!– pegué el grito.

Un lado de su cara estaba enlodado, su nariz llena de mocos verdes que burbujeaban con su respiración; sus ojos rodaban suavemente en sus cuencas, y sus dientes estaban negros de mugre; sin embargo, estaba contento de tener una visita. Sus gemidos y gruñidos se volvieron amigables. Se arrastró para acercarse, se levantó y se inclinó lo más posible hacia donde yo estaba, al tiempo que jalaba con fuerza la cadena.

–¡Mmmm,mmmm!– Hizo un gesto con la mano para que me acercara más. Jaló la cadena un poco para acercarse más a mí, pero le fue imposible. Todo frustrado empezó a gritar: –¡Ayyyyyyyyyyyy!

Sus gritos me asustaron y comencé a retroceder. Se dio cuenta de que me estaba asustando, y dejó de gritar. Para comunicarse conmigo, el hombre gemía y gruñía. Con su mano y sus gemidos me indicaba que me acercara. No recuerdo haberme acercado. Estiró la mano por entre los barrotes de madera y me tocó. Recuerdo su cara cuando tocó mi mano. Lo tengo tan fresco en mi memoria como si hubiera pasado hoy. Me sonrió con su cara gorda y contenta. Todavía me acuerdo

At first I was paralyzed with fear. I stood as straight as the wooden planks that encaged him. Finally I broke away from the grasp of my fear, climbed back over the fence, and dashed into *Abuelita's* house. I was trembling so much that Abuelita's wooden shack trembled too. I was so frightened that I peed all over my pants. My *Abuelita* knew I had seen 'el loco' next door because something had taken away my chatter, and I did not speak until my parents came for me. The moment I saw my mother, I started to cry and ran up into her arms. At that moment, I promised to obey my elders.

That childhood experience frightened me so much that until this day, when I open a door to a dark room I think of El Cucuy. Look at me, I am over fifty-years-old. Even at this age, when the lights are on and I'm sitting on my throne, I think of El Cucuy. When I'm in bed and I turn off all the lights, I think of El Cucuy. I wonder if El Cucuy is standing over me. Does he have an eye in the middle of its head to see me better at night? Does he have a mouth so big that one bite will rip my head off my body? Does he have strong hands and sharp finger nails to dig inside my chest and rip out my beating heart? Boom! Boom! Boom! Is he standing next to me? Ready to eat me, ready to eat you. "Aaaarrrr."

de esos ojos vacíos, esas mirada que parecía indicar que no había nadie adentro. El Cucuy se había apoderado de su alma.

Primero me sentí paralizado por el miedo. Me quedé parado tan firme como los barrotes de la jaula que lo contenía. Finalmente me deshice del miedo que me atarantaba y brinqué la barda de regreso a la casa de Abuelita. Temblaba tanto que el tejabán de madera de Abuelita temblaba también. Tenía tanto miedo que hasta me oriné en los pantalones. Mi Abuelita sabía que había visto al 'loco' de al lado, porque algo me había dejado mudo y no pude hablar sino hasta que llegaron mis papás por mí. En cuanto vi a mi mamá comencé a llorar y me fui corriendo a sus brazos. En ese momento le prometí obedecer a los mayores y juré nunca jamás desobedecer a un adulto.

Esa experiencia de la infancia me asustó tanto que hasta este día, cuando abro una puerta que da a un cuarto oscuro pienso en El Cucuy. Parece increíble, tengo más de cincuenta años de edad. Y aún así, a mi edad, cuando las luces están prendidas y estoy sentado en mi trono, pienso en El Cucuy. Me pregunto si El Cucuy está posado sobre mí. ¿Tiene un ojo en medio de su cabeza para ver mejor en la noche? ¿Tiene una boca tan grande que de una mordida puede arrancar mi cabeza del cuerpo? ¿Tiene manos tan fuertes y uñas afiladas que puede penetrar mi pecho con ellas y arrancar mi corazón aun latiendo? ¡Pum! ¡Pum! ¡Pum! ¿Está parado junto a mí? Listo para comerme, listo para comerte? ¡Aaaarggg!

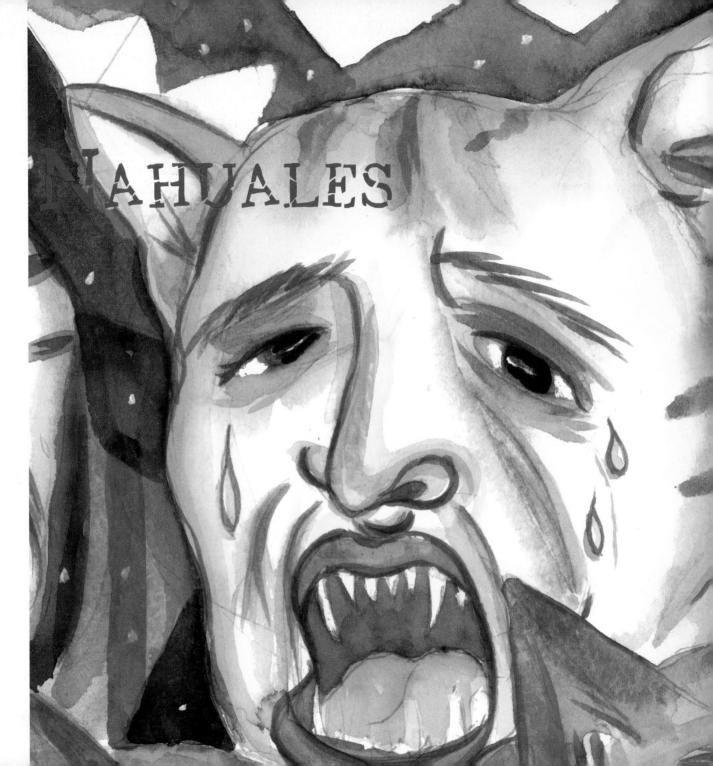

LOS NAHUALES

Los Nahuales

I am special agent Homer Delgado from a secret international agency assigned to locate a menace to society known as El Cucuy. I am part of a secret international commission that has been organized to investigate reported encounters and unexplainable events with the spirit world. For ten years, I have been involved in many investigations all over the world. I almost captured it twice, but it managed to find a way escape. I call it "it" because I don't know what else to call it.

He is known by many aliases as he travels from country to country, but in most countries, he is the same scary spook: in some parts of South America he's known as El Cuco; in Mexico he's called El Cucuy; and here in North America you know him as the 'bogeyman'. He is your worst nightmare! I have asked thousands of people about this evil spirit and most people say that although no one has actually seen him, that he nonetheless exists. They say that it is part human and part beast, and that it always attacks at night. So, beware when you are out all alone and in the dark.

On my first official case, my knees trembled so much that you could hear them. This case was classified XX because it needed to be investigated in the spirit world–where no one actually saw anything or anybody, but nonetheless the demons leave behind evidence of their attack–victims who are unable to talk.

Los Nahuales, Case #4441, has been open for five years, and now it has been assigned to me because I am Mexican-American and I'm bilingual. The file's name, *Los Nahuales*, comes from a Mexican legend which has been around for hundreds of years. Los Nahuales are depicted as cats with human faces and feline teeth. They have sad looking faces and they use their black piercing eyes to "steal people's dreams." In Jalisco, Mexico, the local artists paint Los Nahuales as cats jumping over roof tops or climbing in and out of windows. The artists paint Los Nahuales with human faces looking out from the paintings.

A team of three secret agents (one from the US and two from Mexico, all three born in Mexico) were assigned to investigate the mysterious incidents at a remote ranch in Jalisco, Mexico. The file contained hand written notes from a sister of a wealthy ranchero who had gone crazy after numerous attacks by a pack of Nahuale cats. The Mexican government reports noted that Don Rancho's bank accounts and land deeds ranked him among the top ten wealthiest men in the country. Many of the land deeds were purchased from the banks, who had taken them away from farmers who could not make their mortgage payments as result of a ten-year drought. Don Rancho bought rich farm

Los Nahuales

Soy el agente especial Homero Delgado de la agencia secreta del gobierno encargada de encontrar al asesino seriado conocido como El Cucuy. Formo parte de una comisión secreta internacional que ha sido organizada para investigar supuestos encuentros con espíritus malignos. Durante diez años he participado en muchas investigaciones en todo el mundo. Estuve a punto de capturarlo un par de veces, pero encontró la manera de escapar.

Se le conoce con muchos áliases en la medida que viaja de país en país, pero en la mayoría de los países es el engendro mismo del mal: en algunas partes de América del Sur se le conoce como El Cuco; en México se le conoce como El Cucuy; y aquí en Norteamérica se le conoce como 'the bogeyman.' ¡El es tu peor pesadilla! Les he preguntado a miles de personas acerca de este espíritu maligno y la mayoría contestan que aunque nadie parece haberlo visto, sin embargo existe. Dicen que es parte humano y parte bestia y que siempre ataca de noche. Por eso, ten cuidado cuando andes afuera solo en la oscuridad.

En mi primer caso oficial me temblaban tanto las rodillas que hasta podías oírlas. Este caso fue clasificado como XX porque requería ser investigado en el mundo de los espíritus– donde nadie, de hecho, ha visto nada o a nadie, sin embargo, los demonios dejan tras de sí evidencia de su ataque– víctimas incapaces de hablar.

Los Nahuales, Caso #4441, ha estado abierto por cinco años y me lo han asignado a mí ahora porque soy mexicano-norteamericano y soy bilingüe. El nombre del expediente, *Los Nahuales*, proviene de una leyenda mexicana en existencia por cientos de años. Los nahuales son descritos como gatos con caras humanas y dientes felinos. Tienen caras tristes y usan sus penetrantes ojos negros para "robar los sueños de la gente". En Jalisco, México, los artistas locales pintan a los nahuales como gatos brincando sobre los techos o trepando para entrar o salir de ventanas. Los artistas pintan a los nahuales con caras humanas mirando hacia afuera de las pinturas.

Un equipo de tres agentes secretos (uno de los Estados Unidos y dos de México, los tres nacidos en México) fue asignado a investigar los misteriosos incidentes en un rancho remoto en Jalisco, México. El expediente contenía notas escritas a mano de la hermana de un acaudalado ranchero que se había vuelto loco luego de numerosos ataques de una banda de gatos nahuales. Los reportes del gobierno mexicano indicaban que las cuentas de banco así como las escrituras de bienes raíces de Don Rancho lo colocaban entre los diez hombres más ricos del país. Muchos de los

land and turned it into grazing land for cattle, horses, sheep, and goats. The change from farming to grazing forced many businesses to close, leaving more property for Don Rancho to acquire for a few thousand pesos.

When I arrived at the ranch, the two Mexican secret agents had already talked with relatives and ranch hands who warned them: "LosNahuales will steal your dreams and make you go crazy." They seemed anxious to report about the flying cats. I also interviewed Don Rancho's family and friends, while the other two agents looked around to see if they could find evidence of Los Nahuales. I learned that the cats first visited Don Rancho ten years ago. He saw Los Naguels briefly in his dreams, and over the years, the cats visited him nightly. With each passing night, he saw more and more cats in his dreams. Finally, he only dreamed of cats. Even during the day, he couldn't stop thinking about the cats and their human faces.

His brother Miguel reported that on the same day Don Rancho had acquired thousands of acres of rich farmland, he heard noises from his bedroom. Don Rancho sent two men to look on the roof but they didn't see or hear anything. That night Don Rancho woke up screaming, "The cats are eating me!"

Don Rancho told everyone that he recognized some of the faces on the cats as those of the homeless farmers. The ranch hands told us that it seemed that the more property Don Rancho acquired from starving farmers, the more cats he saw in his dreams and, the more his dreams turned into nightmares.

Don Rancho employed many people: cowboys, blacksmiths, servants, and cooks. After the Nahuales came, everyone began to think that el rancho was haunted. His workers heard noises coming from the tile roofs, but they didn't see any cats nor did they see any in their dreams. The morning after Don Rancho had screamed all night, his workers started leaving el rancho. By the time we arrived at el rancho only a few servants and most of the family remained behind.

"You see, Don Rancho has lost his mind. He thinks that Los Nahuales have taken his soul," reported Margarita, his other sister.

Don Rancho eventually became truly crazy, forcing his relatives to finally lock him up in his master bedroom. Since then, everyone claims that they hear cat calls coming from his room. Don Rancho often screams from his room in a loud voice, "Los gatos se lluevarón mis sueños, the cats have taken my dreams," he screamed in Spanish and English. "I can't dream, I can't sleep!" he screamed.

"Don Rancho's nightmare came true; the cats have stolen his dreams and now he can't dream nor sleep anymore," said his sister Maria.

bienes raíces fueron comprados de los bancos, que a su vez los habían confiscado de los campesinos que no podían pagar sus hipotecas como resultado de una sequía de diez años. Don Rancho compró fértiles tierras de labor y las convirtió en pastizales para ganado, caballos, ovejas y cabras. El cambio de agricultura a engorda de ganado forzó a muchos negocios a la quiebra, dejando así más propiedades al alcance de Don Rancho quien podía comprarlas por unos cuantos miles de pesos.

Cuando llegué al rancho, los dos agentes secretos mexicanos ya habían hablado con los parientes y los trabajadores que les habían puesto sobre aviso:

–Los nahuales les van a robar sus sueños y les van a enloquecer–. No aguantaban las ansias de contarnos sobre los gatos voladores. Entrevisté también a familiares y amigos de Don Rancho, mientras los otros dos agentes revisaban los alrededores para ver si encontraban evidencia de los nahuales. Me enteré que los nahuales habían visitado a Don Rancho hace diez años. Vio a los nahuales brevemente en sus sueños y al paso de los años los gatos lo visitaban noche tras noche. Finalmente, sus sueños consistían solamente de gatos. Inclusive durante el día no podía dejar de pensar sobre los gatos y sus caras humanas.

Su hermano Miguel dijo que el mismo día que Don Rancho había adquirido miles de hectáreas de ricas tierras de labor, había oído ruidos en su habitación. Don Rancho envió a dos hombres a buscar en el techo pero no vieron ni oyeron nada. Esa noche Don Rancho despertó gritando:–¡Los gatos me están comiendo!

Don Rancho le dijo a todo mundo que reconocía algunas de las caras de los gatos como las de los campesinos sin tierra. Los trabajadores del rancho nos dijeron que tal parecía que entre más propiedades de campesinos hambrientos adquiría Don Rancho, más gatos se le aparecían en sus sueños, y más sus sueños se convertían en pesadillas.

Don Rancho empleaba a mucha gente: vaqueros, herreros, sirvientes y cocineros. Después de que empezaron a venir los nahuales todo mundo empezó a pensar que el rancho estaba embrujado. Los trabajadores oían ruidos provenientes de las tejas del techo pero no veían a los gatos ni los veían tampoco en sus sueños. La mañana después de que Don Rancho había gritado durante toda la noche, sus trabajadores empezaron a abandonar el rancho. Cuando llegamos al rancho solo quedaban unos cuantos sirvientes y la mayoría de la familia.

–Pues verá usted, Don Rancho se ha vuelto loco. Cree que los nahuales le han robado el alma– dijo su hermana Margarita.

Al paso del tiempo Don Rancho enloqueció completamente, lo cual obligó a sus parientes a encerrarlo en su recámara principal. A partir de entonces todo mundo sostiene que oyen maullidos de gatos provenir de su habitación. A menudo Don Rancho grita a voz en cuello desde su recámara.

–Los gatos se llevaron mis sueños, the cats have taken my dreams– gritaba en español y en inglés. –¡No puedo soñar, no puedo dormir!– decía en sus gritos.

–La pesadilla de Don Rancho se volvió realidad; los gatos le han robado sus sueños y ahora ya no puede dormir ni soñar– decía su hermana María.

The team of agents met privately to share and analyze information they had collected. I learned that they found an elaborate trail of cat tracks on the tile roof and window panes. The tiles had multiple claw scratches all along the edge of the roof.

Suddenly, the screaming, which had been on-going, turned into cat growls and meows. A relative handed one of the agents a large metal key to open Don Rancho's room. He slowly pulled the door open, while the other agent and I pointed our guns towards the room. The secret agent pulled the door all the way open. I saw a house cat the size of a mountain lion, crowding the corner of the room. Behind his vacant eyes was a spiritless shell of a body. The Nahual was wearing Don Rancho's bleeding face. In one leap, the Nahual jumped towards the door, knocking us down and clawing at my face as it ran out the door. The left side of my face and my ear burned with pain.

"Aaaaaaaaah, " I screamed in pain.

I was the only one hurt by the cat's escape. The other agents treated my wounds and stitched the two gashes on my cheek. I took two pain pills, and soon I was floating away, when I heard Maria warn me, ***"Don't fall asleep senior, Los Nahuales are awaiting for you to start dreaming, so that they can steal your dreams too."***

"Don't fall asleep agent Delgado," the agents repeated over and over again until I fell asleep.

El equipo de agentes se reunió privadamente para compartir y analizar la información que habían recogido. Me enteré que habían encontrado una pista de huellas de gato en las tejas del techo y en los vidrios de las ventanas. Las tejas tenían rasguños múltiples a lo largo de la orilla de los techos.

Repentinamente, los gritos que estaban ocurriendo se volvieron gruñidos y maullidos de gatos. Un pariente entregó a uno de los agentes una gran llave de metal para abrir la habitación de Don Rancho. Abrió lentamente la puerta, mientras el otro agente y yo apuntábamos nuestras pistolas hacia el cuarto. El agente secreto abrió la puerta por completo. Vi un gato doméstico del tamaño de un gato montés ocupando la esquina de la recámara. Detrás de sus ojos inexpresivos se encontraba la cubierta de un cuerpo sin espíritu. El nahual traía puesta la cara sangrante de Don Rancho. De un salto, el nahual brincó hacia la puerta derribándonos y rasguñando mi cara en su huida a través de la puerta. El lado izquierdo de mi cara y mi oreja me ardían de dolor.

–Aaaaaaaah– grité de dolor.

Yo fui el único que resultó herido por el gato en su huida. Los otros agentes curaron mis heridas y suturaron las dos cortadas en mi cara. Me tomé dos pastillas para el dolor y en seguida me vi flotando en el vacío cuando oí que María me advertía, *–No se duerma señor, los nahuales están esperando a que se duerma para robarle los sueños a usted también.*

–No se duerma agente Delgado– repetían los agentes una y otra vez hasta que caí profundamente dormido.

THE GHOST PUEBLO

El Pueblo Fantasma

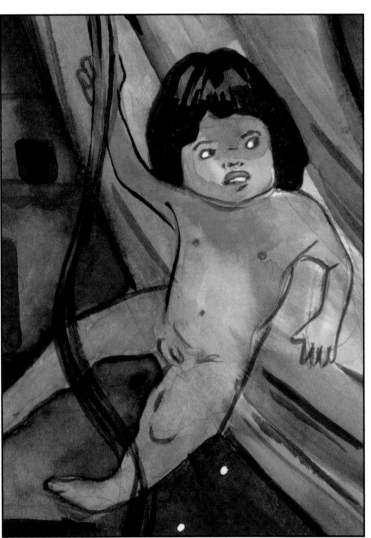

The Ghost Pueblo

I am special agent Homer Delgado from a secret international agency assigned to locate a menace to society known as El Cucuy. I am part of a secret international commission that has been organized to investigate reported encounters and unexplainable events with the spirit world. For ten years, I have been involved in many investigations all over the world. I almost captured it twice, but it managed to find a way escape. I call it "it" because I don't know what else to call it.

He is known by many aliases as he travels from country to country, but in most countries, he is the same scary spook: in some parts of South America he's known as El Cuco; in Mexico he's called El Cucuy; and here in North America you know him as the 'bogeyman'. He is your worst nightmare! I have asked thousands of people about this evil spirit and most people say that although no one has actually seen him, that he nonetheless exists. They say that it is part human and part beast, and that it always attacks at night. So, beware when you are out all alone and in the dark.

My fourth case #4445, was called *The Ghost Pueblo* because the people in the pueblo were disappearing; they simply vanished into thin air. I was dispatched as the lead agent on a two-man investigation team. The other special agent, Sleeping Bear, was a native American from New Mexico. Sleeping Bear was assigned to this investigation because he grew up in the area and spoke Navajo. He drove us to the pueblo that we were to investigate in a rusty army Jeep; his long hair blew in the wind. His wrinkled face and long cigar nose looked as if it had been carved out of the many mesas and buttes that we passed along the way. He drove to the west side of the mesa and parked next to a steep granite wall. We jumped out of the jeep and gazed up four hundred feet to the top of the mesa. The pueblo looked like it was suspended in the air. We adjusted our backpacks and immediately started hiking up the steep path. Sleeping Bear seemed to know where we were going. He found a pathway through the large cracks in a wall. We climbed using foot holes which had been carved into the granite.

El Pueblo Fantasma

Soy el agente especial Homero Delgado de la agencia secreta del gobierno encargada de encontrar al asesino seriado conocido como El Cucuy. Formo parte de una comisión secreta internacional que ha sido organizada para investigar supuestos encuentros con espíritus malignos. Durante diez años he participado en muchas investigaciones en todo el mundo. Estuve a punto de capturarlo un par de veces, pero encontró la manera de escapar.

Se le conoce con muchos áliases en la medida que viaja de país en país, pero en la mayoría de los países es el engendro mismo del mal: en algunas partes de América del Sur se le conoce como El Cuco; en México se le conoce como El Cucuy; y aquí en Norteamérica se le conoce como 'the bogeyman.' ¡El es tu peor pesadilla! Les he preguntado a miles de personas acerca de este espíritu maligno y la mayoría contestan que aunque nadie parece haberlo visto, sin embargo existe. Dicen que es parte humano y parte bestia y que siempre ataca de noche. Por eso, ten cuidado cuando andes afuera solo en la oscuridad.

Mi cuarto caso #4445, se le dio el nombre de *El Pueblo Fantasma* porque la gente en el pueblo estaba desapareciendo y nadie sabía a dónde estaban yendo a parar; simplemente se desvanecían a los cuatro vientos. Me despacharon como el agente principal de un equipo investigador de dos hombres. El otro agente especial, Sleeping Bear, era indio norteamericano de Nuevo México. Sleeping Bear fue asignado a esta investigación porque creció en el área y hablaba navajo. Nos condujo al pueblo que íbamos a investigar en un oxidado jeep del ejército; su larga melena agitada por el viento. Su cara rugosa y su nariz en forma de puro parecían como si hubieran sido esculpidas de las innumerables mesas y oteros que habíamos dejado de lado en nuestro camino. Manejó hacia el poniente de la mesa y se estacionó junto a una pared de superficie áspera. Saltamos del jeep y dirigimos la mirada cuatrocientos pies hasta la cima de la mesa. El pueblo parecía suspendido en el aire. Ajustamos nuestras mochilas y comenzamos inmediatamente a ascender por el inclinado sendero. Sleeping Bear parecía saber a dónde nos dirigíamos. Encontró un camino entre las amplias grietas de una pared. Trepamos usando agujeros para los pies que habían sido cincelados en el granito.

Sleeping Bear had spoken fewer than ten words since we were introduced at my office. He preferred to use hand gestures and his eyes to communicate. We walked up a steep trail. Large boulders, held back with rocks wedged at their bottoms to keep them from falling, waited for us at the summit. We reached the top of the mesa in complete silence, but the spectacular view spoke loudly; the pueblo was known as *Skycity*. From the edge of this natural fortress, an enemy could be easily seen. Sleeping Bear walked to the edge of the mesa and stood there motionless, silently contacting the many ghosts whose histories were trapped between the layers of the granite walls of the nearby enchanting mesa. His long hair continued to blow in the wind. The petrified pre-historic oceans that were trapped in the mesa's walls seemed to be flowing in the wind too. I looked into his eyes and they seemed to reflect images of how time had washed away all the earth around the mesa.

Later that evening, Sleeping Bear was braiding his hair when three elders, the only people we had seen in the pueblo since we arrived, welcomed us to their pueblo. Sleeping Bear told me that they had invited us to a privileged ceremony in their kiva. A kiva is a underground religious structure. The entrance to the kiva was through an opening in the center of its roof. We had to climb up a ladder to get to the roof and step down another ladder and onto the kiva floor. I was the last one to enter. I noticed that the elders and Sleeping Bear were standing around a small fire, waiting for me to complete the circle. They sat down cross-legged and I did the same. The fire cast dancing shadows of our bodies against the concave walls. Sleeping Bear was sitting next to me. His eyes were fixed on what his senses seemed to be telling him. The rest of the elders were equally fixed on their experience; they were quiet, listening, and feeling with their whole bodies. After an hour of not speaking or moving, my body was beginning to tire. None of the elders, including Sleeping Bear had moved a muscle. Only their eyes moved. It was impossible for me to remain still, so I adjusted my sitting position slightly. Immediately after I moved, I noticed that all of them were staring at me. Their stares gave me the chills.

Suddenly, I heard a distant howling. Without moving my head, I moved my eyes in the direction of the howling. The howling seemed to change directions. The elders followed the howling with their eyes.

The wrinkles on their faces seemed to flatten, and I noticed the terror in their eyes. The howling grew louder and closer. The look in the elders eyes changed from fear to sadness. They began to cry; tears rolled down the wrinkles on their faces. One of the elders started signing. He took off his head band, placed it on the ground, clasped his hands and continued signing. His arms, hands, and fingers moved as he painted a picture that I couldn't read. Sleeping Bear began to cry too. I knew he had read the signing. By now, the kiva was surrounded by howlers. Some were

Sleeping Bear había hablado menos de diez palabras cuando fuimos presentados en mi oficina. Prefería usar gestos de las manos y sus ojos para comunicarse. Ascendimos por una vereda inclinada. Los peñascos enormes que se mantenían equilibrados mediante rocas metidas como cuñas en sus bases, nos aguardaban en la cima. Alcanzamos la parte alta de la mesa en completo silencio, pero el panorama espectacular era elocuente; el pueblo llevaba el nombre de *Skycity* o Ciudad del Cielo. Desde la orilla de esta fortaleza natural podía percibirse claramente al enemigo. Sleeping Bear caminó hacia la orilla de la mesa y se mantuvo inmóvil, poniéndose silenciosamente en contacto con la multitud de fantasmas cuya historia estaba atrapada entre los estratos de piedra caliza de la formidable mesa cercana. Su larga cabellera seguía flotando en el viento. Los océanos prehistóricos petrificados que estaban atrapados en las paredes de las mesas parecían también flotar en el viento. Dirigí la mirada a sus ojos y parecían reflejar las imágenes de cómo el tiempo había deslavado toda la tierra alrededor de la mesa.

Más tarde, esa noche, Sleeping Bear estaba trenzando su cabello cuando tres ancianos, la única gente que habíamos visto en el pueblo desde nuestro arribo, nos dieron la bienvenida a su pueblo. Sleeping Bear me dijo que nos habían invitado a una ceremonia muy especial en su kaiva. Una kaiva es una estructura religiosa una de cuyas partes es subterránea. La entrada a la kaiva era por un agujero en el centro del techo. Teníamos que trepar por una escalera para llegar al techo y bajar por otra escalera al interior de la kaiva. Yo fui el último en entrar. Noté cómo los ancianos y Sleeping Bear estaban de pie frente a una fogata, esperando que yo completara el círculo. Se sentaron con las piernas cruzadas y yo hice lo mismo. El fuego proyectaba las sombras danzantes de nuestros cuerpos sobre las paredes cóncavas. Sitting Bear estaba sentado junto a mí. Sus ojos estaban fijos, alertas al mensaje de sus sentidos. El resto de los ancianos estaban concentrados también en sus experiencias; estaban quietos, escuchando y sintiendo con sus cuerpos enteros. Luego de una hora de no hablar o moverse, mi cuerpo empezó a cansarse. Ninguno de los ancianos, incluyendo a Sleeping Bear, había movido un solo músculo. Solo sus ojos se movían. Era imposible para mí quedarme quieto y ajusté ligeramente mi posición de sentado. Inmediatamente después de que me moví noté que todos me estaban mirando. Sus miradas me dieron escalofríos.

De repente oí un aullido distante. Sin mover mi cabeza moví mis ojos en la dirección del aullido. El aullido parecía cambiar de dirección. Los ancianos siguieron el aullido con sus ojos.

Las arrugas de sus ojos parecían aplanarse y noté el terror en sus ojos. El aullido aumentó de intensidad y se oía más cerca. La mirada en los ojos de los ancianos cambió de terror a tristeza. Comenzaron a llorar; las lágrimas les rodaban por las arrugas de sus rostros. Uno de los ancianos comenzó a cantar. Se quitó la el pañuelo que traía

on the roof, next to the opening. The elders cried in silence and their silent crying seemed to have a soothing effect on the howlers, and the howling became a melodious meow. The howling absorbed my thoughts as I fell asleep on the adobe floor.

By the time I woke up, I was the only one in the kiva. I climbed the ladder and stepped onto the roof top. I didn't notice any tracks on the soft adobe dirt on the roof top. From there, I saw Sleeping Bear in the distance, talking to two children, and pointing up into the sky. I stepped down the ladder and hurried to join them. When I reached the place where I had seen them, they were gone. I looked for Sleeping Bear in most of the abandoned adobe dwellings on the mesa. The pueblo was deserted. Finally, I saw Sleeping Bear standing at the same place where he had stood the day before. He stood motionless overlooking the western horizon.

"Sleeping Bear," I called for him. He did not move. I thought he hadn't heard, so I called again,

"Sleeping Bear. Where have you been?"

Sleeping Bear was waiting for me to be next to him before he answered. As he was about to speak, the wrinkles on his face stretched and smoothed out, "I know that we came here to investigate encounters with evil spirits." He turned and looked into my eyes, "What's happening here is not viewed as evil by our native cultures, but it is probably viewed as evil to non-Indians."

atado sobre la frente, unió sus manos con los dedos entrelazados y siguió cantando. Sus brazos, manos y dedos se movían al pintar una imagen que no podía yo descifrar. Sleeping Bear también comenzó a llorar. Entendí que había leído las señas. Ahora la kaiva estaba rodeada de aullidos. Algunos provenían del techo, junto a la entrada. Los ancianos lloraban en silencio y su llanto silencioso parecía tener un efecto calmante en quienes aullaban afuera, y los aullidos se convirtieron paulatinamente en un maullido melodioso. Los aullidos absorbieron mi pensamiento al quedarme dormido en el suelo de adobe.

Cuando desperté yo era el único en la kaiva. Ascendí por la escalera y me paré sobre el techo. No miré huellas en la tierra suave del techo. Desde ahí pude ver a Sleeping Bear a lo lejos, platicando con dos niños y apuntando hacia el cielo. Bajé por la escalera y corrí a unírmeles. Cuando llegué al lugar en que los había visto, ya no estaban. Busqué a Sleeping Bear en casi todas las casas de adobe de la mesa. El pueblo estaba desierto. Finalmente, miré a Sleeping Bear parado en el mismo lugar en que había estado parado el día anterior. Estaba de pie, inmóvil, mirando el horizonte hacia el poniente.

–¡Sleeping Bear!– le grité. No se movió. Pensé que no me había oído y le llamé de nuevo

–Sleeping Bear. ¿Dónde andabas?

"What's happening here, Sleeping Bear?" I begged him to tell me. I knew he had read the elder's signing and had learned something from the children he had talked to. He had a lot more information than I did.

"Please! Sleeping Bear, what's going on?."

"What I am about to tell you, can't be in our report. The true history of this pueblo must not leave this mesa."

"You know I can't do that! Our job is to investigate and report any encounter with evil spirits."

"Well, use your Mexican Indian heritage to understand why you can't retell this story."

Sleeping Bear talked about the moon;

"Many moons ago, the moon had two happy young faces on it. As the moon rotated, the happy face of a young man and a young woman took turns smiling down at the pueblo. They took turns sharing the day and the night. When the white men came to take the young braves to the boarding schools and the adults were taken to relocation centers, they tried in every way to take the "Indian" out of them. The White men tried to kill our way of life by taking away our land, culture and language. Feathers in our hair and ritual dancing were prohibited, and our language was not to be used for any purpose. Many of the Indian people escaped and returned to the pueblo, completely faceless. These faceless men had lost their culture, and eventually they were to lose their lives too.

The faceless men scared the women and children. It was then that the moon became sad and old looking, showing only the face of an old man to the pueblo. That was when the moon stopped rotating on its axis and the last time the woman's face was seen."

"What does the howling have to do with all this? And, how is the howling connected to the disappearance of the people from the pueblo?" I asked apprehensively.

Sleeping Bear spoke in a soft voice, as if not to awaken the spirits that slept during the day.

"The elders say that the moon reflects the mood of the young people of this pueblo. For over two hundred years the young men have been losing face, and this pain changed the face on the moon too old and sad. The women in the pueblo tried to keep the children from being touched by the faceless men, because their touch was contagious—once a child was touched by a faceless, he too would eventually become less. When their spirits left the dead bodies, their faces reappeared. The dead bodies floated up to the moon. And it is the ghosts of these dead Indians that you hear howling at night; they're begging to be allowed to return to the mesa."

"Oh, Sleeping Bear, please don't tell me any more," I begged. "You know I have to report it, and the more I know about what has happened, the harder it will be for me *not* to report it."

Sleeping Bear esperó a que me acercara a él antes de responder. Cuando estaba apunto de hablar las arrugas de su rostro se estrecharon y alisaron,

–Yo sé que vinimos aquí para investigar encuentros con espíritus malignos–. Se volvió y me miró finamente a los ojos: –Lo que está pasando aquí no es considerado algo maligno por nuestras culturas nativas, pero probablemente es considerado maligno por los que no son indios.

–Qué está pasando aquí, Sleeping Bear?– le pregunté insistentemente. Yo sabía que él había leído las señas del anciano y que había aprendido algo de los niños con quienes había hablado. El tenía mucha más información que yo.

–Por favor, Sleeping Bear, qué está pasando?

–Lo que te voy a contar no puede incluirse en tu reporte. La verdadera historia de este pueblo no debe abandonar esta mesa.

–¡Tú sabes que no puedo hacer eso! Nuestro trabajo es investigar y reportar cualquier encuentro con espíritus malignos.

–Entonces usa tu herencia de indio mexicano para que entiendas por qué no puedes volver a contar esta historia. Sleeping Bear habló de la luna;

–Hace muchas lunas, la luna tenía dos caras jóvenes y felices en ella. Al rotar la luna, la cara feliz de un joven y la cara feliz de una joven se alternaban sonriendo al pueblo. Se turnaban compartiendo el día y la noche. Cuando vinieron los hombres blancos a llevarse a los jóvenes guerreros a las escuelas del gobierno y los adultos fueron llevados a centros de reubicación, hicieron todo lo posible por erradicar todo lo que fuera "indígena" en ellos. El hombre blanco trató de destruir nuestra forma de vida robándonos nuestra tierra, nuestra cultura y nuestro lenguaje. Se nos prohibió usar plumas en el cabello así como las danzas rituales y no debíamos usar nuestra lengua para nada. Mucha de la gente india escapó y regresó al pueblo habiendo perdido el rostro. Estos hombres sin rostro habían perdido su cultura y con el tiempo perderían también sus vidas.

–Los hombres sin rostro amedrentaron a las mujeres y los niños. Fue entonces cuando la luna se puso triste y vieja, mostrando solamente la cara de un anciano del pueblo. Fue así como la luna dejó de rotar sobre su eje y la última vez que se pudo ver el rostro de la mujer.

–Qué tienen que ver los aullidos con todo esto?– Pregunté con aprehensión.

Sleeping Bear hablaba con una voz suave, como para no perturbar a los espíritus que dormían durante el día.

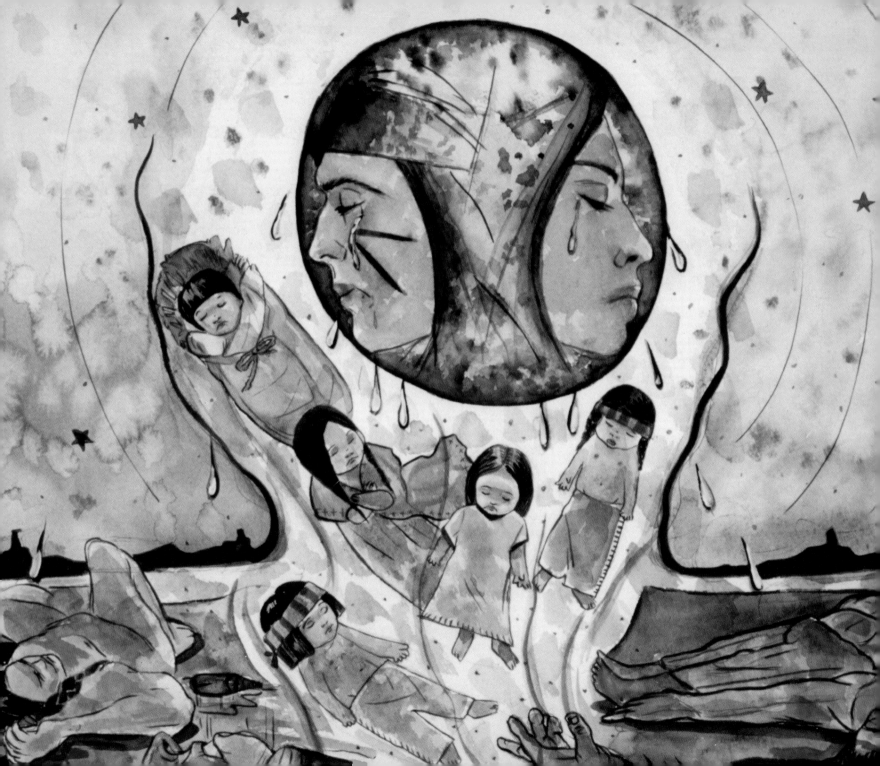

"Now, you know what's happening here. You must be sure that this information stays here in this pueblo," Sleeping Bear insisted. He continued,

"When the young women saw their children losing their faces, they lost their reason to smile. The two children you saw today are the only children left in the pueblo. The women and children have gone to a place where the faceless men can't find them."

"Do you know where this place is?" I asked with anticipation.

"Yes, the elders told me before they vanished," he answered with a soft whisper, hoping that the elders weren't listening from the spirit world.

"The howling that you heard is the Indian people's cry. They want to return to the mesa and live with their loved ones, but if they do, they too will become faceless. To them, their strong need to be with their family and to have a sense of whole is greater than eternal life."

"I'll tell you one last thing, the women and children are hidden where the man on the moon can't find them." Suddenly, Sleeping Bear changed the subject and redirected me to think about returning to our headquarters, "We'll stay overnight and we'll leave just before sunrise." He felt privileged to learn about the pueblo's history, an account not known by anyone other than the people of the pueblo. He had told me more than he wanted me to know, hoping that I would preserve the story by leaving it behind in the Skycity.

–Los ancianos dicen que la luna refleja el carácter de la gente joven de este pueblo. Por más de doscientos años los jóvenes varones han estado perdiendo el rostro, y este dolor ha vuelto triste y vieja la cara de la luna. Las mujeres del pueblo trataron de evitar que los niños fueran tocados por los hombres sin rostro, porque su tacto era contagioso. Cuando un hombre sin rostro tocaba a un niño, éste a su vez perdía el rostro con el tiempo. Cuando los espíritus abandonaban los cuerpos de los muertos, sus caras volvían a aparecer. Los cuerpos de los muertos flotaban hacia la luna. Y son los fantasmas de estos indios difuntos quienes aúllan por la noche; ruegan que los dejen volver a la mesa.

–Oh, Sleeping Bear, por favor ya no me cuentes más– le supliqué. –Sabes que tengo que reportarlo y entre más me entero de lo que sucedió más difícil va a ser no reportarlo.

–Ahora sabes lo que está pasando aquí. Debes asegurarte de que esta información se quede aquí en el pueblo–insistió Sleeping Bear. Continuó,

–Cuando las jóvenes mujeres vieron que sus niños perdían el rostro, ellas perdieron el motivo para sonreír. Los dos niños que viste hoy son los únicos que quedan en el pueblo. Las mujeres y los niños se han ido a un lugar donde los hombres sin rostro no puedan encontrarlos.

I felt the answer to where the children were hiding was placed right in front of me, waiting for me to discover it. To show my respect for Sleeping Bear, I didn't ask him any more questions. I also respected his confidence in me that I could arrive at the answer by myself.

I stayed awake late into the night. The full moon was about to make its appearance in a diamond-filled sky. The man on the moon finally appeared; his sad face filled the night with loneliness. He yawned slowly. *"What?" I thought," The face on the moon yawned."* I looked at Sleeping Bear, but he was already asleep. I looked back up at the full moon and its face was also asleep. I thought I saw the moon slowly rotate. Yes! It was moving. At first, part of a woman's face became visible. Then the moon rotated until the smiling face of a woman was looking down at me.

She grew arms out of her hair that extended down to the mesa and embraced the two children who were suddenly standing behind me. While she picked them up with her hair and hid them on the dark side of the moon, a naked boy slid down her hair without her noticing his escape. He ran off, climbed a ladder onto a roof top and disappeared into the darkness. The moon continued to rotate until the face of a tired old man showed up again. His sadness stopped the moon's rotation again.

I must have fallen asleep By the time I woke up, Sleeping Bear was chanting. He had cleared camp, leaving behind no trace that we had been here. As we hiked down the same path we had climbed up, he did not say a word to me, nor I to him. I wanted to tell him what I had learned, why the man on the moon has a sad face, where the women had hidden the children, and especially, why the moon stopped its rotation. We were descending on the mesa trail rather quickly when I slipped on a rock, fell on my back, and slid down a granite floor loosening a rock that was keeping the boulder from rolling down the trail. I kept falling. After I hit the ground, pebbles and rocks rained on me. Suddenly, a shadow extinguished the sun.

The next thing I knew, I was waking up in a hospital bed. I had broken my left hand, dislocated my right elbow, and severed my right foot. The doctors had had a difficult time putting my smashed ankle back together. I was lucky, Sleeping Bear had taken me to the nearest hospital in time to save my foot. Sleeping Bear was standing by the window waiting for me to wake up. He walked over to my bedside and handed me the report of our investigation of the Ghost Pueblo: Dos Equis *Case #4445: No evil spirits were encountered. The people deserted the mesa; the wind eroded the top soil, rendering the soil unsuitable for farming. The small game around the mesa migrated to other locations, and the creeks dried up, making it impossible to sustain life on the mesa. The Ghost Pueblo case is now closed.*

–¿Sabes dónde queda este lugar?– le pregunté con anticipación.

–Sí, los ancianos me lo dijeron antes de desaparecer– respondió en voz baja, como deseando que los ancianos no lo escucharan desde el mundo de los espíritus.

–Los aullidos que escuchaste son el llanto del pueblo indio. Quieren regresar a la mesa y vivir con sus seres queridos, pero si lo hacen, ellos también perderán el rostro. Para ellos, el deseo incontenible de estar con sus familiares y de sentirse completos es más poderoso que la vida eterna.

–Te voy a decir una cosa más, las mujeres y los niños están ocultos donde el hombre de la luna no pueda encontrarlos–.Repentinamente, Sleeping Bear cambió de tema y me hizo que pensara sobre el regreso a nuestro cuartel general, "Nos quedaremos esta noche y emprenderemos el viaje de regreso justo antes de que amanezca." El se sentía privilegiado de conocer la historia del pueblo, cuyos aconteceres eran ajenos a cualquier persona que no fuera del pueblo. Me había dicho que quería que yo la supiera, con la esperanza de que pudiera yo preservarla dejándola atrás en la Skycity o Ciudad del Cielo.

Sentía yo que la respuesta acerca del escondite de los niños estaba justo frente a mí, esperando a que la descubriera. Para mostrar mi respeto a Sleeping Bear, no le hice más preguntas. También respeté su confianza en mí, de que yo podría encontrar la repuesta por mí mismo.

Permanecí despierto hasta altas horas de la noche. La luna llena estaba por aparecer en el cielo tachonado de brillantes. El hombre en la luna por fin apareció. Su cara triste llenó de soledad la noche. Su cara bostezó lentamente. –¿Qué?– pensé yo, –La cara de la luna bostezó–. Miré a Sleeping Bear, pero ya estaba dormido. Miré nuevamente a la luna llena y su cara estaba también dormida. Por un momento creí ver a la luna rotar lentamente. Sí, se estaba moviendo. Primero, parte de una cara de mujer se volvió visible. Luego la luna rotó hasta que la cara sonriente de una mujer me estaba mirando.

De su cabello se extendieron unos brazos que alcanzaron la mesa y abrazaron a los dos niños que de repente se encontraban detrás de mí. Al momento en que los levantaba con su cabello y los escondía en el lado oscuro de la luna, un niño desnudo se deslizó por su cabello sin que ella se diera cuenta que escapaba. Corrió, trepó a un techo por una escalera y desapareció en la oscuridad. La luna siguió rotando hasta que la cara de un agobiado anciano volvió a aparecer. Su tristeza paró de nuevo la rotación de la luna.

Debí haberme dormido. Cuando desperté, Sleeping Bear estaba cantando. Había levantado el campamento, borrando todo indicio de que habíamos estado allí. Al descender por el mismo sendero por el cual ascendimos, no me dirigió la palabra ni tampoco yo a él. Quería decirle lo que había aprendido, por qué el hombre en la luna tenía una

cara triste, dónde había escondido los niños la mujer, y especialmente, por que la luna había dejado de rotar. Ibamos descendiendo por la vereda de la mesa apresuradamente, cuando me resbalé en una roca y caí de espalda, y seguí resbalándome por un piso de granito que soltó una piedra que mantenía un peñasco para que no cayera encima de la vereda. Seguí cayendo. Al golpear el suelo, piedras y rocas llovieron sobre mí. De repente, una sombra apagó al sol.

Lo que recuerdo después es que desperté en una cama de hospital. Mi mano izquierda estaba fracturada, mi codo derecho dislocado, y mi pie derecho estaba desprendido. Los médicos habían batallado para juntar mi tobillo destrozado. Tuve suerte, Sleeping Bear me había llevado al hospital más cercano a tiempo de que me salvaran el pie. Sleeping Bear estaba parado junto a la ventana esperando a que me despertara. Caminó hacia mi cama y me entregó el reporte de nuestra investigación sobre el Pueblo Fantasma:

Caso Dos Equis #4445: *No se encontraron espíritus malignos. La gente abandonó la mesa; el viento erosionó la tierra cultivable, volviendo el terreno inutilizable para la agricultura. La fauna pequeña de la mesa emigró a otros lugares y los arroyos se secaron, haciendo imposible sostener la vida en la mesa. El caso del Pueblo Fantasma está cerrado.*

THE MACHO MAN TEST

LA PRUEBA DEL MERO MACHO

The Macho Man Test

n special agent Homer Delgado from a secret international agency assigned to locate a
enace to society known as El Cucuy. I am part of a secret international commission that
has been organized to investigate reported encounters and unexplainable events with
the spirit world. For ten years, I have been involved in many investigations all over
the world. I almost captured it twice, but it managed to find a way escape. I call it
"it" because I don't know what else to call it.

ny aliases as he travels from country to country, but in most countries, he is the same scary
f South America he's known as El Cuco; in Mexico he's called El Cucuy; and here in North
n as the 'bogeyman'. He is your worst nightmare! I have asked thousands of people about
t people say that although no one has actually seen him, that he nonetheless exists. They say
nd part beast, and that he always attacks at night. So, beware when you are out all alone and

igated hundreds of incidents that involved encounters with evil spirits, my agency presented
for superior performance as an investigator. In ten years, I had managed to avoid most bul-
once, on the shoulder, stabbed three times, severed my right foot in an accident and after they
leg was one inch shorter. Now, I walk with a limp. I think the award was more for keeping
actual performance. The festivities lasted until the wee hours of the morning. I was the last
I slept like a log.
ne penetrated my sleep.
fully, waking up to a bad hangover.
sound that came from the receiver, followed by a gasp, and a raspy-voice,
this you, *Homes*?" asked the caller.
Delgado. What do you want?" I demanded to know

La Prueba del Mero Macho

Soy el agente especial Homero Delgado de la agencia secreta del gobierno encargada de encontrar al asesino seriado conocido como El Cucuy. Formo parte de una comisión secreta internacional que ha sido organizada para investigar supuestos encuentros con espíritus malignos. Durante diez años he participado en muchas investigaciones en todo el mundo. Estuve a punto de capturarlo un par de veces, pero encontró la manera de escapar.

Se le conoce con muchos áliases en la medida que viaja de país en país, pero en la mayoría de los países es el engendro mismo del mal: en algunas partes de América del Sur se le conoce como El Cuco; en México se le conoce como El Cucuy; y aquí en Norteamérica se le conoce como 'the bogeyman.' ¡El es tu peor pesadilla! Les he preguntado a miles de personas acerca de este espíritu maligno y la mayoría contestan que aunque nadie parece haberlo visto, sin embargo existe. Dicen que es parte humano y parte bestia y que siempre ataca de noche. Por eso, ten cuidado cuando andes afuera solo en la oscuridad.

Tras de haber investigado cientos de incidentes relacionados con espíritus malignos, mi agencia me dio un premio por mi trabajo especial como investigador. En diez años había logrado evadir la mayor parte de las balas. Me habían herido solo una vez, en el hombro, y acuchillado tres veces, mi pie derecho se me desprendió en un accidente y pudieron pegármelo de nuevo, por lo cual mi pierna es más corta una pulgada. Ahora camino cojeando. Yo creo que el premio me lo dieron más que nada para que no me volviera loco, no tanto por la calidad de mi trabajo. Las celebraciones duraron hasta altas horas de la madrugada. Yo fui el último en salir de la fiesta. Dormí como un leño.

–¡Riiiing!– el teléfono interrumpió mi sueño.

–Bueno– dije con dificultad, al despertar con una cruda espantosa.

Escuché un zumbido por el auricular, seguido por un jadeo y luego una voz ronca,

–¿Homero Delgado? ¿Eres tú, Mero?– preguntó alguien por el auricular.

–El mismo que calza y viste. ¿En qué puedo servirte?– Pregunté medio molesto.

–Me han dicho que andas buscando al Cucuy, ¿es cierto?– preguntó el de la voz ronca.

–¿Quién eres?– pregunté nerviosamente.

"I'm Chivo, the goat," he whizzed. "I'm the king-pin of my bangerland, Homie. I can help you find El Cucuy, but first, you must do something for me. Interested? Si? Ese!"

Maybe this was another setup, but then again, I couldn't afford to take that chance. I could not miss this opportunity to come face to face with El Cucuy, even though I was tired, sleepy, hung-over, and hungry. Maybe I will have breakfast in East LA, City of Angels. Chivo asked me to meet him in his neighborhood, Frog Town, at midnight (Chivo's office hours). Chivo told me to come alone and on foot. I was scared, this was gang territory where people disappear. I walked slowly on the sidewalk and carefully stepped onto the black top of a poorly lit parking lot. I heard a voice call my name, the same one that had made the phone call.

"Hey, Senior Homer Delgado, Homie." Chivo's voice. I turned around slowly and saw a stream of smoke rise into the street light. He was standing in the dark, smoking a cigarette, puffing out smoke from under his chin. He then stepped into the cloud of smoke that he had blown.

"Yes, I'm, special agent Delgado." I introduced myself trying to sound brave, "And how did you get my home phone number?" I asked with a macho attitude.

"I have my ways, Homes," he said.

-Soy el Chivo, carnal-dijo con voz apenas perceptible. -Soy el mero petatero de mi barrio, Merito. Yo puedo ayudarte a encontrar al Cucuy, pero tú debes primero hacer algo por mí. ¿Cómo la ves, ese?

Pensé que se trataba de otro cuatro ranchero, pero, por otra parte, no podía dejar pasar esa oportunidad de encontrarme cara a cara con El Cucuy, a pesar de estar cansado, soñoliento, crudo y hambriento. Quizá me voy a almorzar a East LA, la Ciudad de los Angeles. El Chivo sugirió que nos encontráramos en su barrio, Frog Town, a la media noche (las horas de oficina del Chivo). El Chivo me dijo que viniero solo y a pie. Yo tenía miedo, se trataba de territorio de pandillas donde desaparece la gente. Caminé lentamente por la banqueta y bajé con cuidado al pavimento de un estacionamiento escasamente iluminado. Oí una voz llamar mi nombre, la misma que había hecho la llamada.

-¡Quihúbole, Señor Homero Delgado, Merito- dijo la voz del Chivo. Volví la cabeza lentamente y vi un hilo de humo elevarse hacia el farol de la calle. Estaba parado en la oscuridad, fumando un cigarro, echando humo por debajo de la barbilla. Luego se adelantó hacia la nube de humo que él mismo había creado.

-Sí, soy el agente especial Delgado-. Me presenté tratando de sonar valiente. -¿Y cómo fue que conseguiste el número de teléfono de mi casa?- le pregunté tratando de sonar lo más macho posible.

-Tengo mis fuentes, Mero- dijo él.

He sounded like he had a bad case of asthma, possibly from smoking. He wore a solid red bandanna around his forehead. His face and the front of his body was still in the dark. He placed a cigarette over an opening in his throat, gasped a large breath, held it for awhile, then said as smoke came out of the hole, "Thank you for coming right away,"

"Don't mention it, I was in the neighborhood," I tried to make light of the situation, but I was really scared. I knew I was not supposed to show fear or any type of weakness, but my body trembled anyway. "How did you get my home telephone number?" I asked again with a scared voice.

As he answered, he approached me. He was of medium-size, middle aged, with gray hair and a peppered goatee. He attempted to smile but his badly scarred face gave him a permanent frown. "I read about you in the LA Times article's *'City of Angels Guards: Undercover in Darkside.'* Then I found you on the Net; while I was searching for encounters with evil spirits in Netscape, I came across the Dos Equis (XX) files."

"No way, the Dos Equis files are classified and are not on the Net." I said confidently.

"If information is stored in any computer, I can find it. I know a lot about you, Homes" said Chivo. He threw the cigarette butt on the sidewalk, stepped on it and kicked it into the drain.

"I learned that you are originally a local, maybe from Dog Town. I bet you don't know who your parents are, or where you were born. You went to Franklin High for awhile. Better yet, I know that your right foot was completely cut off in an accident while you were chasing ghosts. That's why you limp."

"How do you know so much about me? And how did you get access to the XX files?" I asked.

"Behind my back, my bangers call me Nethead," he wheezed and coughed. "I spend most of my spare time surfing the net. I spend a lot of time in your barrio, Homes."

"I don't know how you obtained all this information about me, but as you say, you have your ways." I conceded.

He went on to tell me about his 13-year-old brother, Teco, who two years ago had turned old enough to become a gang banger. The gangbangers put him through an initiation test known as the "Macho Man Test." Candidacy for membership requires its members to endure tortures and to experience the fear of death. And if they endure twenty-four hours of their worst nightmare without soiling their pants, they can become gang-bangers. Teco didn't pass the test. He lost his mind instead. All he does is scream 'the ants are eating me'.

"I'll come right to the point of why I invited you here. You see Agent Delgado, Piteco, my little brother who I told you about, well he's been hit by la locura. He's gone crazy. El Cucuy tagged him. You know, he's gone loco!"

Sonaba como si padeciera asma, probablemente por fumar. Traía un paliacate rojo amarrado sobre su frente. La cara y el frente de su cuerpo estaban todavía en la oscuridad. Colocó el cigarro en un agujero en su garganta, dio una inhalacilón profunda, la mantuvo por unos instantes y dijo, al momento que salía el humo por el agujero, –Gracias por venir tan pronto.

–De nada. Andaba por el barrio–. Traté de parecer animado, pero en realidad tenía miedo. Sabía que no debía mostrar miedo o debilidad, pero mi cuerpo no paraba de temblar. –¿Cómo fue que conseguiste mi número telefónico?– le pregunté nuevamente, con voz atemorizada.

Al responder se acercó a mí. Era de estatura mediana, edad mediana, cabello y barba de chivo entrecanos. Trató de sonreír pero su cara cicatrizada produjo un gesto grotesco. ––Leí de ti en los artículos del Los Angeles Times, *Los Guardias de la Ciudad de Los Angeles: Agentes Secretos en la Oscuridad.* Luego te encontré en el internet, mientras buscaba información sobre encuentros con espíritus malignos. Me topé con los archivos Dos Equis (XX).

–Chále, los archivos Dos Equis son confidenciales y no se encuentran en el internet–. Dije confiadamente.

–Si hay información almacenada en cualquier computadora, yo la puedo encontrar. Sé mucho acerca de tí, Mero– dijo el Chivo. Tiró la colilla del cigarro en la banqueta, la aplastó con el zapato y la pateó hacia adentro de la alcantarilla.

–Sé que eres originalmente de estos lares, quizá de Dog Town. A que no sabes quiénes son tus papás, o dónde naciste. Fuiste a la Franklin High por un rato. Además sé que tu pie derecho fue arrancado completamente en un accidente cuando andabas persiguiendo fantasmas. Es por eso que cojeas.

–¿Cómo sabes tanto acerca de mí?¿Y Cómo lograste penetrar los archivos XX?– le pregunté.

–A espaldas mías, mis compas me llaman el Nethead–. Inhaló con dificultad y tosió. ––La mayor parte de mi tiempo libre me la paso navegando por el internet. Gran parte del tiempo la paso en tu vecindario, Mero.

–No sé cómo conseguiste toda esta información acerca de mí, pero, como tú dices, tienes tus fuentes– le dije resignadamente.

Luego procedió a contarme acerca de su hermano de 13 años, Teco, quien hacía dos años había llegado a la edad de convertirse en pandillero. Los compas lo sometieron a un rito de iniciación conocido como la "Prueba del Mero Macho." Para ser aceptado como miembro es necesario aguantar torturas y sentir el temor a la muerte. Y si aguantas veinticuatro horas de los castigos más horripilantes sin surrarte en los pantalones, puedes ser aceptados como miembro de la pandilla. Teco no pasó la prueba. Se volvió loco. Se la pasa gritando "las hormigas me están comiendo."

–Voy a ir al grano sobre el motivo para invitarte a venir aquí. Como verás, agente Delgado, Piteco, mi hermano menor de quien te platiqué, está bien zafado. Perdió la chaveta. El Cucuy lo tiene atarantado. Está loco de remate.

Chivo went on to tell me how Teco had failed the Macho Man test, a test so frightening that only the bravest passed it. El Chivo told me about how Teco battled with his fears and lost.

Chivo felt guilt and blame for Teco losing his sanity while attempting to pass the Macho Man test. He turned away so that I could not see his face; a scar from the corner of his eye lined his cheek. And what made Chivo feel worse than not being able to help his brother was that the Kingpin of bangerland had to secretly ask for help from a government agent. He didn't want anyone to know.

"How can I help?" I asked.

"I read about your work in the *Dos Equis*(XX) files, and I know that you're looking for El Cucuy."

"Yes, I want information on El Cucuy. What do you want me to do?"

"Follow me," he nodded his head in the direction he wanted us to go. Chivo led me to an abandoned Victorian house where he had Teco locked up in the basement. When we approached the cellar door I heard Teco scream,

"Aiiiiiiiieeeeeeee!"

Chivo opened the door to the basement; the boy didn't even noticed us. Teco was wearing jeans shorts, no shirt, and no shoes. His arms and legs were bleeding. He scratched and rubbed his arms, legs, and face with both hands.

El Chivo siguió platicándome sobre la manera en que el Teco fracasó en la prueba del Mero Macho. Se dio la vuelta para que no pudiera mirar su rostro –una cicatriz que partía desde la esquina del ojo adornaba su mejilla. Pero lo que más le atormentaba al Chivo era tener que pedir ayuda a un agente del gobierno. No quería que nadie se enterara.

–¿Cómo puedo ayudarte?– le pregunté.

–Leí acerca de tu trabajo en los archivos *Dos Equis* (XX) y sé que andas buscando al Cucuy.

–Si, busco información sobre El Cucuy. ¿Qué quieres que haga?

–Sígueme– dijo, meneando la cabeza en la dirección que quería que fuéramos. El Chivo me condujo a una casa victoriana abandonada en cuyo sótano tenía encerrado a Teco. Cuando nos acercamos a la puerta de la bodega oí los gritos de Teco,

–¡Aaaaayyyyyyy!

El Chivo abrió la puerta del sótano, el muchacho ni siquiera notó nuestra presencia. Teco traía puestos unos shorts de mezclilla, estaba descamisado y descalzo. Sangraba de los brazos y las piernas. Se rascaba y frotaba los brazos, las piernas y la cara con ambas manos.

–¡Aaaaayyyyyyy!

Al mirar al muchacho, éste seguía frotándose y rascándose. El Chivo me dijo que cuando Piteco tenía ocho años se había caído sobre un hormiguero de hormigas arrieras. Imagínate, si el piquete de una arriera

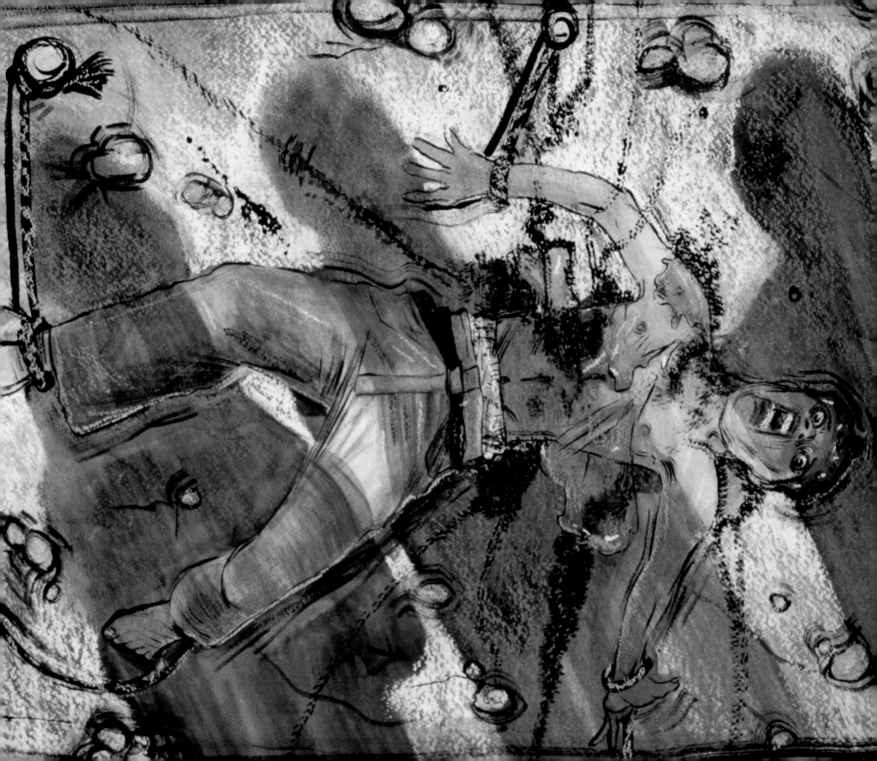

"Aiiiiiiieeeeee!" he screamed.

As I looked at the boy, he continued to rub and scratch himself. Chivo told me that when Piteco was eight years old, he had fallen on top of an anthill of red ants. Imagine, if one bite from a red ant can make you cry, just think what hundreds would do. In a matter of seconds, they climbed all over his body. The ants bit him on every inch of his body. He ran and threw himself into the river, but he couldn't get rid of all of the ants. A bite from a red ant is like eating a whole jalapeño pepper. So, imagine hundreds of ant bites. That's painful enough to make any one sick and drive him crazy, too. Eventually, Teco stopped screaming and wiping the ants off his body. But years later, when he was scared by a mad dog, he felt ants crawling all over him and he wiped imaginary ants off his arms, legs, and face. His wiping movements were intermingled with gang sign language. He never really got over the ant attack.

The whole time we were talking, Teco continued to wipe his face with his fingers. The whites of his eyes were showing. The pupils had rolled up and back into their sockets. He began to scream as we continued talking,

"Aaaaaaaaaaaaaaaiiiiiiiiiii."

"So, why is he still fighting the ants?" I asked.

"When the gangbangers found out that Teco was afraid of ants, they made him battle with the ants as part of the Macho Man Test; they spread Teco's arms and legs, tied his hands and feet to stakes, poured honey all over his body, then dumped a bucket of red ants on his chest. He instantly went crazy. You see Homie, to pass the Test you can't let your fears beat you. My little bro didn't pass the Macho Man Test cause he's afraid to death of ants."

Teco screamed as he ran out the opened door and into one of the empty rooms in the old Victorian house, "AAAAAAAIIIIIIIIIEEEEEEEeeeeeeeeeeeee!"

Chivo didn't seemed to be too worried that Teco was out and about. He said,

"As long as Teco's fighting the imaginary ants, he'll stay indoors. He's afraid he'll find more ants outside the house, that's what's kept him in the house."

I thought that maybe if Teco saw a real ant, he might run out into the streets.

"How can I help?" I asked again. I was no longer scared that I might be shot at, beaten, or even killed. I was more scared of going mad and surviving, like Teco did.

"First you must take the Macho Man Test, and maybe by taking the test you can learn of some way to help my brother regain his sanity. You try to help my brother Homes, and I'll help find El Cucuy," he said in a self-assured way. If you pass the M&M Test, we will know how to help Teco and we will know where to find El Cucuy."

te puede hacer llorar, no se diga cientos de ellas. En unos cuantos segundos estaban por todo su cuerpo. No dejaron un rincón de su cuerpo sin picar. Corrió y se tiró al río, pero no puedo sacudirse a todas las hormigas. Un piquete de hormiga arriera es igual que comerse un chile jalapeño. Imagínate cientos de piquetes de hormiga. El dolor es capaz de enfermar a cualquiera, inclusive de volverlo loco. Luego de un rato, Teco dejó de gritar y de sacudirse las hormigas de su cuerpo. Pero al paso de los años, cuando lo asustó un perro rabioso, sintió que las hormigas se le subían de nuevo y se sacudía las hormigas imaginarias de sus brazos, piernas y cara. Sus movimientos espasmódicos se entremezclaban con señales de pandilla. Nunca pudo recuperarse totalmente del ataque de las hormigas.

Todo el tiempo que la pasamos hablando, Teco siguió frotándose la cara con sus dedos. Podía vérsele lo blanco de los ojos. Las pupilas se iban hacia arriba y desaparecían dentro de las órbitas. Comenzó a gritar mientras continuábamos nuestra plática.

–¡Aaaaaayyyyyyyy!

–¿Pero por qué sigue sacudiéndose las hormigas?– le pregunté.

–Cuando los pandilleros se enteraron de que Teco tenía miedo de las hormigas, le hicieron que enfrentara a las hormigas como parte de la Prueba del Mero Macho; extendieron los brazos y las piernas de Teco, amarraron sus manos y pies a unas estacas, vaciaron miel encima de su cuerpo y luego le echaron encima de su pecho una cubeta llena de hormigas arrieras. Perdió la razón inmediatamente. Tú sabes, Mero, para pasar la Prueba debes controlar el miedo. Mi carnalillo no pudo pasar la Prueba del Mero Macho porque le tenía terror a las hormigas.

Teco pegó un grito al salir por la puerta abierta y dirigirse a uno de los cuartos vacíos de la vieja casa victoriana. –¡Aaaaaaaayyyyyyyyy!

El Chivo no parecía estar preocupado de que Teco anduviera suelto. Dijo,

–Mientras Teco siga sacudiéndose hormigas imaginarias, va a quedarse dentro de la casa. Tiene miedo de encontrar más hormigas afuera, por eso no sale.

Pensé que si Teco miraba una hormiga de verdad iba a salir corriendo hacia la calle.

–¿Cómo puedo ayudarte?– le pregunté de nuevo. Para entonces había perdido el miedo de ser baleado, golpeado o inclusive asesinado. Estaba más preocupado de enloquecer y sobrevivir, igual que Teco.

–Primero tienes que someterte a la Pueba del Mero Macho, y quizá al hacerlo puedes descubrir la manera de ayudar a mi hermano a recuperar la razón. Tú tratas de ayudar a mi carnal, Mero, y yo te ayudaré a encontrar al Cucuy– dijo con tono decidido. –Si pasas la Pueba del Mero Macho sabremos cómo ayudar a Teco y sabremos dónde encontrar al Cucuy.

I thought that maybe this was the only way to capture El Cucuy and forever stop its attacks on innocent children. Now, I was really scared. What if I, too, lose the battle against my worst fear and as a result lose my mind? What would that be like? The thought scared the hell out of me!

El Chivo pointed towards the dark with his goatee and said with a fading voice, "I'll walk with you to the edge of the night. From there you must go ahead on your own," guided Chivo with his raspy whisper.

We walked under the street light a few steps and we stopped. He placed his arm around my shoulder and squeezed it for good luck. We stood momentarily motionless, before I stepped into the horror of the darkside. Even though Chivo had stayed under the street light and I was in almost complete darkness, I still felt his guiding touch on my shoulder. As I was being engulfed by the darkside, I looked back at Chivo standing under the street light, and I noticed *that he was not casting a shadow.*

"Aeeeeeeeeeee!" I heard myself scream.

Pensé que quizá esta era la mejor manera de capturar al Cucuy y detener para siempre sus ataques a niños inocentes. Pero yo estaba aterrorizado. ¿Qué pasaría si perdía yo la batalla en contra de mi más grande temor y perdiera la razón como consecuencia? ¿Qué se sentiría? Solo pensar en eso me llenaba de terror.

El Chivo indicó con su barbilla hacia la oscuridad y dijo con voz apenas perceptible, –Voy a caminar contigo hasta la orilla de la noche. A partir de ahí tú tienes que caminar solo– indicó el Chivo con su voz ronca.

Caminamos bajo los faroles de la calle unos cuantos pasos y nos paramos. Puso su brazo sobre mi hombro y me dio un apretón de buena suerte. Nos quedamos quietos por un momento, antes de que me aventurase yo solo a los horrores de la oscuridad. Aunque el Chivo se había quedado bajo la luz de los faroles y yo estaba totalmente en la oscuridad, todavía seguía sintiendo su contacto sobre mi hombro para guiarme. Al ser absorbido por la oscuridad volví la mirada a donde estaba el Chivo, bajo el farol de la calle, y me di cuenta *de que su cuerpo no proyectaba sombra alguna.*

–¡Aaaaaayyyyyyy!– Oí mi propio grito.

The Tour of the Cuco Ward

El Viaje a la Castañeda

Buenas noches, ladies and gentlemen, and to all the little children, good evening to all you. Welcome to the Cuco Ward. I will be your tour guide through this adventure," announced a raspy voice that wheezed between phrases. "Follow my directions and my words will guide you through the international institute for victims who have been scared out of their wits." The voice emanated from speakers that were mounted on the ceiling of what looked like a dungeon in a castle.

"You, my guests have paid to be scared and scared you shall become. Ha, ha, haaaaaaaaaaaa, ha!"

"In semi-darkness, you will walk through the Cuco Ward. The Ward houses demented victims who have succumbed to such evil spirits as the Bogeymen, El Cuco, El Cucuy, and el monstro from the blue laguna," the voice stopped, coughed, gagged, and cleared its throat before continuing. "This ward of mental misfits is full of children who, like you, believed their parents and relatives when told that a 'bogeyman' lived in the attic or that El Cucuy was waiting for you just around the corner."

"Follow me," continued the raspy voice as the scared young tourists walked by the poorly lit cells.

"Look to your right, there in the dark, a fat-faced idiot slobbers all over himself," described the guide. "The smell of sulfur from his urine is so strong that it makes your eyes water as we walk by. Hurry up, let's move on."

"On your left, look through the bars, in the far away corner of the cell you'll see a very large cat with the face of an old man. These cats are known as "Dream Stealers or Nahuales." They are known to steal dreams and memories while people sleep. They have been known to surgically cut out the face of their victims with their claws and wear them as they fly off and steal more dreams along the way. It's important not to daze off or fall asleep during the tour," warned a tired rustic voice.

"OK! Let's keep walking forward," ordered the guide while the tour moved slowly and close together.

"On your left, a child howls like a coyote. This child was found in New Mexico, running half-naked through the woods. An Indian who reads sign language reported that the boy told him that he is from the darkside of the moon. He's howling for his mother to come for him and return him to the moon. Let's move on."

"OOOOOOOoooowwww," the boy howled at the half-moon in his cell window.

"To your right, you'll see a tattooed youngster scream as he rubs his body clean. He thinks that ants are crawling all over him. See how he rubs his face and hair. Some of his hand movements are gang-related sign language that only have meaning to their gang." The boy was too pre-occupied with his imaginary ants to notice the tourists.

–Buenas noches, damas y caballeros, niñas y niños, buenas noches a todos ustedes. Bienvenidos a la Castañeda. Yo seré su guía durante esta aventura–anunció una voz ronca que pillaba en medio de cada frase. –Sigan mis instrucciones y mis palabras los guiarán por el instituto internacional de víctimas que han perdido la razón–. La voz emanaba de unas bocinas que estaban montadas en el cielo de un lugar que parecía el calabozo de un castillo.

–Ustedes, mis huéspedes, han pagado para ser asustados, y les garantizo que no se van a arrepentir. Ja, ja, ja, ja, ja, ja, ja!

–En medio de las tinieblas caminarán por la Castañeda. La institución alberga personas dementes que han caído víctimas de espíritus malignos como el bogeyman, El Cuco, El Cucuy, y el monstruo de la laguna negra–. La voz se detuvo un instante, tosió, escupió, se limpió la garganta, antes de continuar–. Este albergue para enfermos mentales está lleno de niños que, como ustedes, creyeron a sus padres y parientes cuando les dijeron que El Cucuy vivía en el desván o que El Cucuy estaba esperándoles a la vuelta de la esquina.

–Síganme– continuó la voz ronca al tiempo que los turistas espantados caminaban por las celdas escasamente iluminadas.

–A su derecha, en la oscuridad, pueden observar a un imbécil de cara redonda que babea sobre todo su cuerpo– comentó el guía. –El olor a azufre de su orina es tan fuerte que hace que los ojos lloren cuando uno camina cerca. Apúrense, sigamos adelante.

–A su izquierda, observen por entre las rejas, en la esquina lejana de la celda, verán a un gato enorme con la cara de un anciano. Estos gatos son conocidos como los 'Roba Sueños' o 'Nahuales'. Supuestamente su trabajo es robar los sueños y recuerdos cuando la gente duerme. Aparentemente cortan con precisión quirúrgica el rostro de sus víctimas con sus garras y se las ponen al escapar con sus sueños. Es importante no perder la conciencia o dormirse durante esta visita–advirtió la voz rústica y fatigada.

–Muy bien, sigamos adelante– ordenó el guía mientras el grupo paulatinamente se iba haciendo más compacto.

–A su izquierda, este niño aúlla como coyote. Fue encontrado en Nuevo México, corriendo semidesnudo entre la espesura del bosque. Un indio que lee lenguaje de señas reportó que el niño le dijo que provenía del lado oscuro de la luna. Aúlla por su mamá, para que venga a recogerlo y se lo lleve de regreso a la luna. Sigamos adelante.

–Aaaaauuuuuuuuuu– aulló el chamaco a la media luna que se asomaba por la ventana de su celda.

–A su derecha verán a un joven repleto de tatuajes gritar y rascarse el cuerpo. Piensa que las hormigas se le han subido al cuerpo. Miren cómo se frota la cara y el cabello. Algunos movimientos de sus manos tienen relación con el lenguaje de señas de las pandillas cuyo significado solo entienden los miembros de esa pandilla–. El muchacho estaba

"Keep walking, look right in front of you, here we have the saddest moron of them all. Our records show that he was once a secret government agent of some kind. This sad human being has lost his soul," said the raspy voice with noticeable enjoyment. "He is now reduced to live as a playful monkey. Don't get to close to him or he'll urinate on you!" warned the raspy voice, coughing and gagging.

"Ooooo, eeeeeehhhhhhh, aaaaaaahah," howls the howler monkey.

tan entretenido con las hormigas imaginarias que no se percataba de los turistas.

—Sigan caminando, miren al frente, donde se encuentra el idiota más triste de todos. Nuestros expedientes dicen que una vez este individuo fue agente secreto del gobierno. Este despojo de humanidad ha perdido su alma— dijo la voz ronca con cierto deleite—. Está condenado a vivir como un chango juguetón. ¡No se le acerquen demasiado porque puede orinarles!— advirtió la voz ronca mientras tosía y expectoraba.

—U,u,u,u,u,a,a,a,a,a,a,e,e,e,e,e— gritaba el chango ruidoso.

1. **Reading in triads**

   In pairs take turns reading the story to each other. Assign a third student to direct and coach the pair for fluency, pacing, intonation, and expression.

   Identify three parts of each story which could be fictional and which parts could be factual; support your position.

   Describe the author's use of literacy devices: symbolism, imagery, and metaphor, to talk about the fine line between fact and fiction.

2. **Writing in quads**

   In teams of four, write an expository composition or literary response to a story. Use team editing to create final.

   Research the theme in each of the stories and use the new information to write a different ending, the next chapter, or a sequel to a story. Use team critique for story development.

3. **Listening and Speaking**

   Write an expository composition or literary response to one of the stories and present it to the class for critique.

4. **Speaking Application in quads**

   In teams of four students, read or dramatize one composition to the class.

5. **Creative Expression-drama class**

   Select dialogues from each of the stories to improvise for the class. Perform *A Storyteller's Nightmare* for the school and community.

1. **Lecturas en grupos de tres estudiantes**

   Un par de estudiantes leen la historia recíprocamente y un tercer estudiante dirige la fluidez, el ritmo, la entonación y la expresión de la lectura.

   Identificar tres categorías literarias: pueden ser de carácter ficticio u objetivo, pero siempre apoyando su lugar.

   Describir el estilo literario del autor: simbolismo, imaginación y/o metáfora. Discutir sobre la línea fina que separa lo ficticio de lo objetivo.

2. **Escribir en equipos de cuatro estudiantes.**

   En equipos de cuatro estudiantes escribir una composición descriptiva o una respuesta literaria sobre la historia. El equipo debe editar su conclusión.

   Investigar el tema de cada historia, usando la nueva información los estudiantes deben escribir un final diferente, el capitulo siguiente o una continuación a la historia. El equipo debe comentar y desarrollar la historia.

3. **Escuchar y Comentar**

   Escribir una composición descriptiva o respuesta literaria sobre una de las historias y exponerla a la clase para que la analicen.

4. **Exposición en grupos de cuatro estudiantes.**

   En equipos de cuatro estudiantes leer y dramatizar una de las composiciones para la clase.

5. **Expresión Creativa-Club de Drama**

   Seleccionar diálogos de cada historia para desarrollarlos en clase. Representación teatral sobre "la Pesadilla de un Cuentista."

About the Author

Arturo Muñoz Vásquez was born in Piedras Negras, Coahuila, Mexico. Up to his adolescence, his family lived a migratory life throughout the Southwest of the United States. Making migratory visits to the apple orchards of Washington State; the potatoes fields of Idaho; to the cotton fields of Texas; and settling in the fruits orchards and the garlic fields of Gilroy, California, a place that the family could call home. While attending Gilroy High School, he exhibited leadership skills as the captain of wrestling and football teams and in 1966 was selected as the most valuable athlete of the year.

He earned a Bachelor's degree in physical education and business and a Secondary Teaching Credential from San Jose State, California and an Administrative Services Credential from California State University, Sacramento, California. He has worked in education as a classroom teacher, school site principal, consultant for the California Department of Education, and as a district superintendent in Hoopa, California.

During those years at Gilroy High, he struggled with speaking and writing the English language. Even though his self-esteem suffered silently because of his poor grades, he added a greater weight to his burden by announcing to his friends and family, that one day he would write a book. Other books by Arturo Muñoz Vásquez: "Papá, Tell Us Another Story", a Collection of Bedtime Stories for Children, and Running Deer Plays Hooky; and stories: Matli as a Punk Kid, Add More Water to the Beans, and A Christmas Gift.
email: Vasquetzal@aol.com

Sonya Fe was born in East Los Angeles, California. When Sonya was still a toddler, a paintbrush naturally found itself in her left hand. Her mother handed her a set of colored chalk and encouraged to draw on the cement floor of their home. Every night her mother mopped away the drawings, leaving behind a fresh canvas for the following morning. Her father took her on outings where she drew buildings, trees, people, and animals.

Sonya learned to use her artistic talents to excel in school. Her drawings of the anatomy of grasshoppers won her first prize in a science faire. At age thirteen, she won a first place trophy and a scholarship to attend a summer program at Ottis Art Institute in Los Angeles, California. She earned a Bachelor's Degree in art from Art Center College of Design in Pasadena, California.

Sonya's rich Jewish and Mexican cultural backgrounds add color to her art. While one can trace the sophisticated influence of cubism throughout her work, she has created her own distinctive style to earn her the status of having been published in magazines and the latest three Contemporary Chicano/Chicana Artists publications. Her paintings have been featured in major national galleries. She works as an art consultant with school districts throughout California and paints fulltime.
www.sonyafe.com

Arturo Muñoz Vásquez nació en Piedras Negras, Coahuila, México. Desde que era niño hasta su adolescencia Arturo acompaño a su familia en una vida migratoria a través del sureste de los Estados Unidos, trabajando en huertos de manzanas en el estado de Washington, en campos de papas en Idaho, en campos de algodón en Texas y en huertas de frutas y campos de ajo de Gilroy, California, el lugar que su familia llamaba casa.

Mientras que asistía a la preparatoria de Gilroy, California, Arturo mostró tener dotes de liderazgo al ser capitán de los equipos de lucha y football, y en 1966 fue seleccionado el atleta mas valioso del año.

Arturo adquirió su Licenciatura (Bachelor's degree) en Educación Física y Administración, y sus credenciales secundarias en Educación en la Universidad de San Jose California, (San Jose State University), también obtuvo su credencial de Servicio Administrativo en la Universidad Estatal de Sacramento.

Ha trabajado en el área de educación como maestro, como Director de Escuela, como asesor del Departamento de Educación de California y como Superintendente de Educación en Hoopa, California.

Durante los años en que asistió a la preparatoria de Gilroy, Arturo se encontro con dificultades de no poder hablar y escribir el ingles correctamente, lo cual afecto sus grados escolares. Aunque sufría silenciosamente en su auto-estima, pudo añadir una carga mayor a sus hombros, al prometerles a sus amigos y familia que algún día escribiría un libro.

Arturo Muñoz Vásquez nos presenta no solo un libro, pero una selección de libros dignos de ser leídos: Como: "Papa, Tell Us Another Story", Collection of Bedtime Stories for Children", Running Deer Plays Hooky, Matli as a Punk Kid, Add More Water to the Beans, A Christmas Gift.

Sonya Fe nació en el mismo hospital General del Este de Los Angeles, California, que había recibido a Norma Jean en este mundo.

Cuando Sonya era aun una pequeña niña, un pincel apareció naturalmente en su mano izquierda.

Su madre le ofreció un juego de gises de colores y la invito a que pintara en el cemento del suelo de la casa. Todas las noches su madre trapeaba el suelo dejandole un nuevo canvas para la siguiente mañana.

Su padre la llevo en una excursión donde Sonya dibujo edificios, árboles, gente y animales, impresionando a la audiencia.

Sonya aprende a usar su talento artístico para sobresalir en la escuela, y sus dibujos de la anatomía de los saltamontes la llevan a ganar el primer lugar en la feria de las ciencias. A la edad de trece años gana el trofeo de arte y una beca para asistir al programa de verano llamado Ottis Art Institute, en Los Angeles, California.

Sonya se gradua con una licenciatura (bachelor's degree) de Arte en el Colegio de Diseño del Centro de las Artes, (Art Center College of Design) en Pasadena, California.

El color de su arte es tan rico como sus raíces hereditarias. Sonya tiene antecedentes de cultura amplia que incluyen semítica, mexicana, narragansett y rusa. Observando su trabajo uno puede trazar la influencia sofisticada del cubismo Su propio estilo es tan distintivo que ha recibido el estatus de ser publicada en tres publicaciones contemporáneas de artistas Chicanos y Chicanas.

Cada generación influye la mente de los artistas y en su trabajo nos enseñan los cambios sociales. Sonya es uno de esos individuos raros y únicos que se desenvuelven en la injusticia de genero y las parcialidades raciales hasta el renacimiento del pensamiento humano y la comunidad global.

The ALEKIZOU
and his terrible library plot!

Story by **NANCY TURGEON**   *Illustrations by* **PATRICIA CULLEN RAINE**

CRISSCROSS
APPLESAUCE
A Buffalo Heritage Imprint

There once was a creature named Alekizou.
He was smaller than me but bigger than you.
Yes, just sort of "mid-lish" except that instead
of hair up on top was a lump on his head.

This lump was quite strange, for he had it trained
to forecast the weather and tell when it rained.
This lump could do ANYTHING...grow big or small!
And sometimes you'd swear it was not there at all.

You'd know when it worked as it turned slightly PINK.
(A sure-fire sign that he'd started to think.)
He'd trained it to help him in daring escapes,
because when he thought hard, this lump would change shape.

3

4

This lump could become a great feather-trimmed hat,
or a green bow tie on his head. Fancy that!
'Twas a trick he had taught himself when...alas,
he should have been paying attention in class.

"I just want to play games!" his friends heard him say.
"No studies! No homework! I want off today!"
His mentor nearby closed an eye in a scowl.
"That won't get you far," said his friend, the wise owl.

His fine-feathered friend almost never missed school.
He was smarter. And wiser. And 'though it sounds cruel,
book-learning had given him just what it takes
to make good decisions instead of mistakes.

That was 'Kizou's problem. He'd not studied well.
Poor Alekizou couldn't write. Couldn't spell.
He'd liked only recess and lunch time. Indeed...
Alekizou could not count. Could not read!

At home on the mountain all covered with snow,
'Kizou spied on people and buildings below.
And leaning way out of his mountaintop nest,
he trained his spyglass on what humans liked best.

He watched all the children and watched grownups, too.
"That's a popular place!" cried Alekizou.
He couldn't be sure, but he thought he could see
one very nice place (marked "LI-BRAR-Y.")

The big building stood in the center of all.
It was nine zanders wide by thirty zaks tall.
"Gadzooks!" and "Egads!" cried Alekizou.
"All the people go there! What on earth do they do?"

7

8

He watched and he watched, and after a while,
he saw people come out with books and a smile.
The longer he watched, the madder he got.
"I can't stand it!" he cried. "I'll think up a plot!

"A terrible plot!" cried the Alekizou.
"I'll get rid of those books, so I can play, too!"
For the Alekizou was lonely, indeed.
He really was sorry that he couldn't read.

But then he thought: "Hold it! The time isn't right.
I'll wait until morning, then go when it's light.
By the full light of day, no one will suspect
their town was invaded and library wrecked!

Now the moment is here. I know what to do.
I'll close my eyes tight..." said the Alekizou.
"And think, oh so hard!" His lump turned bright red.
And a very strange thing happened up on his head.

The lump turned to gold! It shone bright in the light,
and circling his head, it then rose to new height.
Before you could gasp, it had changed to a CROWN!
He put on a robe and marched down into town.

A magical monarch! A king he became!
(He didn't want anyone knowing his name.)
Then from his back pocket...(Just guess what he did...)
He played a march on the horn that he'd hid!

Alekizou looked neither this way nor that.
Crowns are much better than any old hat!
He simply marched forward in most noble stride.
To those in his way, bellowed: "All, stand aside!"

11

12

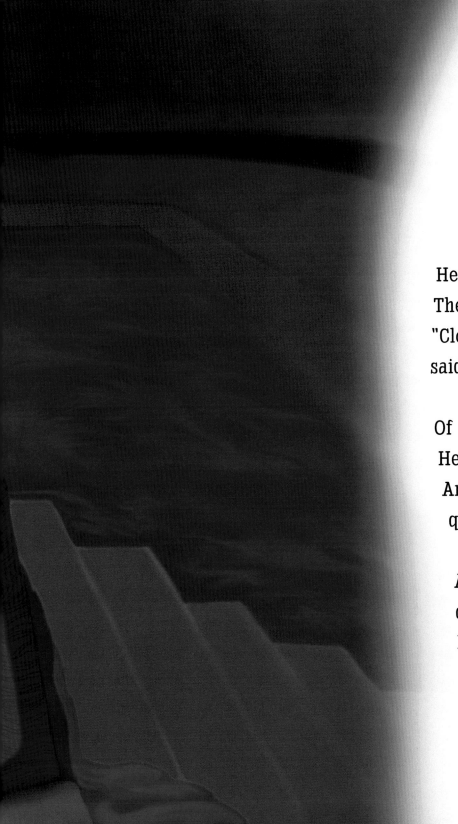

He marched very slowly across the town's land.
The day became night. Crowds began to disband.
"Closer! This is it! It's the 'Li-brar-y', see?"
said 'Kizou to himself. "I've made it!" said he.

Of course it was locked, but he'd planned for that, too.
He crept to the door and knew what to do.
And stealing a final glance toward the town,
quickly changed his lump to a key from his crown!

And what do you know! This most dreadful, mean trick,
quickly opened the library doors: "CLICK-CLICK!"
He gave one look back and then slipped inside,
then laughed on the floor 'til he thought he would cry!

13

"What a wonderful plan! How clever! How wise!"
screamed the Alekizou. "And what a disguise!
They thought I was regal, the best of all kings.
But I'm 'KIZOU, here for some terrible things!"

(But not knowing exactly what he should do,
he thought he would browse for a moment or two.)
"Although I can't read, I will just take a look,"
he said as he flipped through each colorful book.

14

15

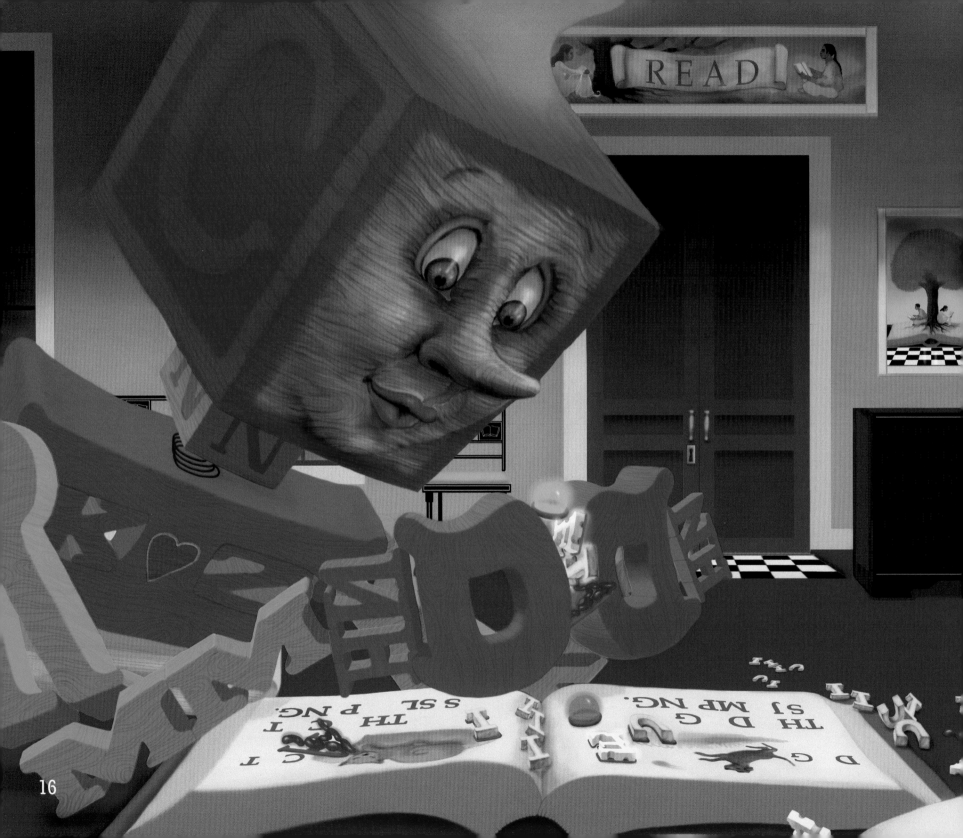

He spied a small symbol. "Now what could this mean?
'Twas a letter, an A, but he thought: "A bean?"
"So many I see!" cried the Alekizou.
"I'll bet they'd be tasty in homemade bean stew!"

So he stole all the As and then spotted Os.
Thought Alekizou: "I can't go without those!
They look just like gumballs, and I've nothing to do
but blow bubbles and play," said the Alekizou.

Next, he found Es and said: "Yes, I'll take these.
The chunks look delicious. They must be Swiss cheese.
But what if they're fattening? Aw, that's not the worst.
I'll be like a mouse and just eat the holes first."

This only left Is and Us in great number.
Said 'Kizou, "Are they crispy, I wonder?"
He gathered them up and took a big sniff.
"Oh yes!" said 'Kizou. "I just needed a whiff!"

17

As soon as he said that, he gobbled them down
and started to laugh, but there came a strange sound!
He'd eaten the vowels, and though it's absurd,
he neither could laugh nor speak one single word!

"KKKGK! GL-GL-RW-MPH-T!" cried Alekizou.
And what do you know! No real words came through.
He'd garbled each book and just ruined all speech.
He cried "HLPSCRTCH!" in panic. (That's "Help!" with a screech!)

"HLPSCRTCH! HLPSCRTCH!" he screamed, but no one was there.
And that terrible sound rose up through the air.
It bounded off books and rolled down into town,
and everyone heard it and asked: "What's that sound?"

The poor townspeople's words were all mixed up, too
'cause the vowels were all eaten by Alekizou.
So they cried: "WHTCNTHTB?" meaning "What can that be?"
And "HNRPRLBRY!" which meant "Oh no! Our poor library."

20

Then children and barking dogs raced to the spot.
The noise grew much louder. (He'd made quite a lot!)
The door was wide open. They ran in, and there...
was the Alekizou slumped in a chair.

"HLDW!" 'Kizou shouted. They all gathered 'round
as he gestured to each that they should sit down.
Then when they'd done so, he reached up for a book,
and opened the pages so they'd have a look.

The children, astonished, just gasped at the mess.
Their stories were meaningless jumbles at best!
He'd eaten the vowels as now they could see,
which spoiled all their speech and the whole library!

He realized he'd done a most terrible thing.
He'd tricked the whole town so they'd think he was king.
He had spoiled their words and now by their looks
he could tell worst of all he had spoiled their books!

21

They all sat there thinking along the same track:
what could they all do to make vowels come back?
But never had anyone done this before.
They needed to make fifty zillion or more!

His thoughts became action. 'Kizou had some plans
to again change his lump and make a few fans.
He struggled and grunted. The lump turned bright red.
Before you could blink, he'd grown hands on his head!

And in the sign language that deaf people use,
'Kizou formed vowels from A through to U.
So swiftly he worked that somebody reckoned
he could make vowels at 80-per-second!

But two-hundred-eighty-thousand a minute
filled not the building nor the books stacked within it.
"Oh help, help!" he gestured. "Use your own hands, please!"
"Join me to help make As, Is, Os, Us and Es."

23

So everyone finger-spelled fast as they could
but soon were aware even this was no good.
They'd made quite a number together, but still
they had twenty-one thousand MORE books to fill!

Discouraged and tired, dejected and sad,
they still couldn't talk or read books they'd once had.
Would 'Kizou quit the plan? "NV-R!" he said,
and he sprang to his feet and lowered his head.

His whole body shuddered and reddened and shook.
What power it took! (It was scary to look!)
He glowed with such current, the room lights grew dim.
For 'Kizou, it was clear: it was vowels or him!

His lump gave three twitches and one loop-de-loop,
and became a great bowl of ALPHABET SOUP.
The harder he struggled, the bigger it grew
on top of the head of the Alekizou.

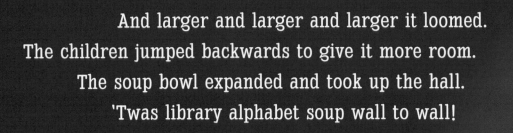

And larger and larger and larger it loomed.
The children jumped backwards to give it more room.
The soup bowl expanded and took up the hall.
'Twas library alphabet soup wall to wall!

The children helped Alekizou to sit down,
which lowered the bowl rather near to the ground.
And while he panted and puffed from this test,
the boys and girls helped him do all the rest.

They laddered some tables with chairs to the brim.
They now could climb up and all could reach in.
Then using their hands to serve as a scoop,
they strained thousands of vowels from out of the soup!

They lined them up neatly and stacked them in piles
which, laid end to end, would extend many miles.
The piles filled twelve large rooms from ceiling to floor,
'til they had such numbers they didn't need more.

The children had all but just emptied the bowl.
They'd rescued the vowels, achieving their goal.
And so, when 'Kizou saw how little was left,
he tilted the bowl and drank all the rest.

Though the children all knew that 'Kizou was the cause,
he fixed up his mess, so they gave him applause.
He'd been rather brave, but their thunderous claps
rocked the piles of vowels and caused their collapse.

And down rained the vowels from A clear to U,
all over the children and Alekizou.
And each fell in place like lost notes of a song,
so they looked like they'd been right there all along!

31

32

At last, wise owl, who'd watched this unfold,
flapped his wings wildly and said: "I may be old,
but I know a few things that you don't as of yet.
There's a vowel that's missing. Rules must be met.

"You can't always spell words by using an I.
For instance," he flapped, "just try to spell WHY!
Why uses the I when there's an exception.
You must use a Y for better reception.

"Yes, I'm the Ys Owl whoo's here to help you.
Remember how you can spell Alekizou
They're all in his name. They're in order, it's true.
Plus Y for six total, with ALEkIzOU!"

"Oh yes, Ys Owl!" shouted the children with glee.
"'Kizou will be taught by all...and for FREE!"
So 'Kizou promised that he'd stop playing tricks—
now that talking was clear and the books were all fixed.

And that's the true story of Alekizou.
Now he's a bookworm! What else could he do?
He lives in the library. That's how it ends:
the Alekizou with Ys Owl and friends.

But the next time you visit, the thing not to do
is look very hard for the Alekizou.
You won't see him as he was; he's not there.
His magical head-lump has turned into hair!

35

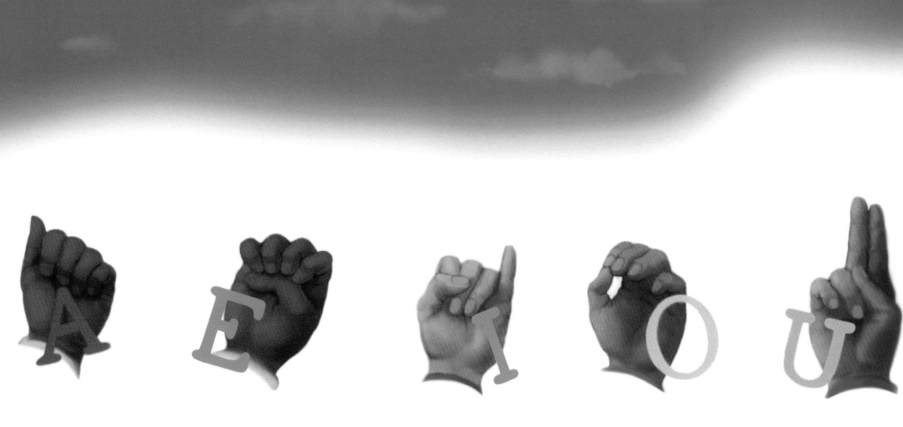

...and sometimes

About the Author

Nancy Turgeon

Nancy Turgeon's vivid imagination started early—favorite dolls were named Dorbitis and Dorbano. She majored in Creative Writing at Ohio Wesleyan University, co-founding her own ad agency at age 27. Seeds for *The Alekizou* were sown by her second grade teacher who challenged the class to find words without any vowels. Now retired following a long, star-studded career in advertising, Turgeon continues to nurture her creative side. In addition to writing children's books, she has her own puppet theater and more than 100 puppets!

About the Illustrator

Patricia Cullen Raine

Over the past 35 years, Washington, DC area illustrator Patricia Raine has occasionally taken a recess from the complex, grown-up world of political caricature and visual editorial commentary to create richly-imagined paintings for the infinitely sweeter and simpler world of children. *The Alekizou* is the delightful result of one of those rare interludes.

To my sister, Jean Cioffi, for her imaginative suggestions and unending support.

Buffalo Heritage Press
266 Elmwood Avenue, Suite 407
Buffalo, New York 14222
www.BuffaloHeritage.com
Illustration by Patricia Cullen Raine

Book design by Goulah Design Group
ISBN: 978-1-942483-64-9 (softcover)
ISBN: 978-1-942483-65-6 (hardcover)

Library of Congress control number available upon request

Printed in the United States of America

10 9 8 7 6 5 4 3 2 1